図解

社会人の基本

岩下宣子

敬語・話し方大全

Honorifics & Speech Encyclopedia

講談社

敬語・話し方大全●目次

2章　敬語の使い方

ルールがわかれば敬語は身につく

正しく使いこなすために知っておきたい敬語の「落とし穴」

使える「敬語」を身につける社会人の話し方練習帖

6章　困った時のものの言い方

7章　クイズで育てる言葉力

巻末

はじめに

皆様は、日々どのような言葉を使っていますか？「つまらない」「なんで私だけが」「辛い」「めんどくさい」などマイナスの言葉を使っていませんか？　そういう方は、マイナスの人生を歩くことになるように思います。

「ありがとう」「嬉しい」「愉快だ」「ハッピー」「感謝」などの言葉を使っている人は、プラス発想で人生を切り開いているように見えます。

特に、小さなことにでも有り難いと感謝出来る人が、よい生き方につながっているように思うのです。

言葉遣いは心遣いです、また、心は言葉によって熟成します。よい心はよい言葉で熟成されるのです。

口に出す言葉はもちろんですが､頭で考える言葉もよい言葉を使いたいものです。

なぜなら、美しい言葉はよい表情筋を動かすからです。私たちの顔の表情筋は、33から36あると言われています。そのうち自分の思い通りに動く表情筋は3つだけなのだそうです。時々耳が動かせる、片方の眉毛が動かせるという人はいますが、ほとんどの人にとって「思い通りに動かせる」のは3つなのだそうです。それではその他の表情筋は、なんで動くのでしょうか。

それらは、感情でしか動かない筋肉で成り立っているそうです。

「心の中なんてわからない」と思ったらとんでもないことです。心に思ったとたん表情筋が動いてしまうのです。意地悪なことばかり考えていると意地悪な表情筋が即座に反応して、いつの間にか意地悪そうな顔になります。人に対して親切で思いやりのある事を考え、実践している人は、その表情筋が即座に反応しますから、よいお顔になるそうです。

よい感情、よい言葉を使ってますますよいお顔づくりをなさってください。

そしてこの本を通じて、よりよい人間関係のための心の言葉や、人間として相手を尊重する敬語も学んでいただけたらと思います。敬語は、失敗を恐れずどんどん使ってください。そして、間違ったら周りの人から直してもらってください。指摘を受けたら感謝の気持ちでお礼を言いましょう。“失敗は成長”のもとです。

「人間にとって一番恐ろしい敵は不遇ではなく、自分の心です。自分を自分でこんな人間だと思っていると､それだけの人間にしかなれません」という言葉があります。

明るい心と思いやりの気持ちを大事に、語彙を増やしていっていただけると幸いです。この本が、皆様のお役にたてますように……。

そして、最後にこの本を企画してくださった講談社の藤枝部長に感謝申し上げます。

岩下宣子

1章

言葉づかいの基礎知識

言葉づかいには、その人の人柄が表れるものです。
日常生活からビジネスシーンまで、相手に「きちんとした人」という
好印象を与える言葉づかいの基本的な知識を学びましょう。

社会人として身につけておきたい「言葉づかい」とは

正しい言葉づかいは「思い」を伝えます

私達は、一人では生きていけません。社会を通して人とつながり、多くの人の力を借りて、人生はより豊かに彩られていきます。では、あなたの周りの人が力を貸してくれるのは、なぜでしょう。それは、容姿、地位や財力といった欲得ずくのものではなく、人柄です。人格の力だと思います。

手紙や文書ならば、読み返して間違いを見つけたら訂正できます。ところが「話し言葉」は、口をついて出てしまったら最後。多少の苦手意識がある人が多いことと思います。まずは、言葉づかいの基本的なルールを知り、あとは「場数を踏む」ことが大事。正しい言葉づかいは知っているだけでなく、実践することで身につき、一生の財産になるのです。

1行話し方教室　「和顔愛語（わげんあいご）」は、ほほ笑みとやさしい言葉で人に接し

社会人の言葉づかい入門

1. 一字一句に思いやりを込める

× 今日のお洋服は素敵ですね。

○ 今日のお洋服も素敵ですね。

本人ははっきりと意識していなくても、言い方のごくわずかな違いで、相手への伝わり方は大きく違ってきます。「今日のお洋服は素敵ですね」と言われたら、「それなら、ふだん着ている洋服はよくないっていう意味？」と受け取る人もいるでしょう。

「は」と「も」の一字違い。親しい間柄なら笑い話ですませられても、相手を間違えると、ほめたつもりが嫌味になってしまいます。

要は、相手の気持ちになって考えられるセンスがどのくらいあるかが問題。これは、常日頃から多少の訓練が必要です。たとえば、あなたが誰かに「コーヒーと紅茶、どっちにする？」と聞いた時、次のように返事をされたらどう感じるでしょうか。

× コーヒーでいいです。

○ コーヒーがいいです。

「で」と「が」、こちらも一字の違いです。答えた側に特別な意図はなくても、「コーヒーでいいです」には、「ほかのものがよいけれど、どちらか選べというならコーヒーでいい」というニュアンスが感じられます。

そんな小さなことは気にしないという人は、言葉づかいで不用意に相手を不快にさせているかもしれないので気をつけて。言葉は「鏡」、一字一句に相手に対する思いやりを込めましょう。こちらが温かい気持ちを込めれば、相手も温かい言葉を返し、冷たい言葉は相手の心に冷たく突き刺さります。

なさいという仏教の教え。夫婦円満の秘訣ともいわれる。

2. 丁寧な言い回しを心がける

× お茶出して。

○ お茶をお願いします。

丁寧な言い回しには相手に対する配慮が感じられる

話し方や言葉づかいは、その人の印象の良し悪しに大きく影響します。同じことを言われても、言葉づかいによって相手が抱く印象は違ってしまうもの。「お茶出して」のような命令形、あるいは「お茶、お茶」と名詞だけというのも、相手を責めたてる印象を与えてしまう言い方です。命令形や言い切りのもの言いは、緊急を要する時には効果的ですが、穏やかな関係を築くには、ふだんから丁寧な言い回しで、相手に最低限の敬意を払うようにしましょう。ビジネスの場だけでなく、ふだんから誰に対しても丁寧な言い回しを意識することは、社会人の基本中の基本です。

始めよう! 丁寧な言い回し3つのポイント

語尾を「です」「ます」にする

例

〜だ→〜です
する→します
ある→あります

＋

「丁寧さ」を持つ言葉を使う

例

わたし、僕→
　わたくし(私)
あっち→あちら

＋

丁寧な言葉に言い換える

例

あとで→のちほど
ちょっと→少々

丁寧な言葉づかいは社会人としての第一歩。語尾を「です」「ます」にするだけでも、話し方が丁寧な印象になります。

1行話し方教室 「言葉遣《づか》い」の「遣う」は、気遣い＝心を働かせる、派遣＝技や術を

「公私」のけじめをつける

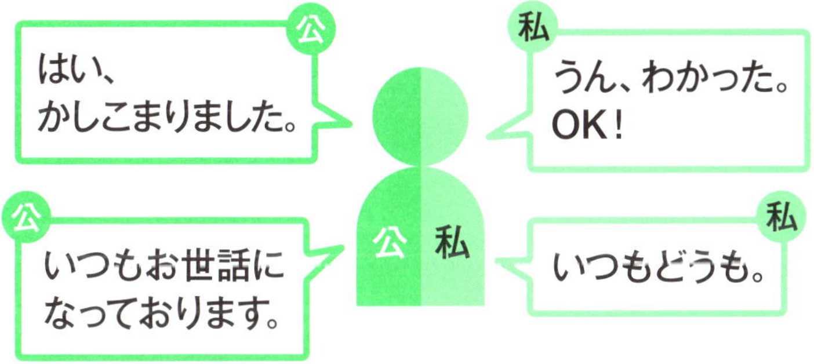

言葉づかいは自己表現、TPOで使い分けよう

相手	親しい	親しくない	丁寧さ
上位者 年齢や社会的地位が上 **例**　恩師、上司など	丁寧な表現	丁寧な表現	最高
同位者 年齢や社会的地位が同等 **例**　友人、同僚など	ふつうの表現 くだけた表現	丁寧な表現 ふつうの表現	高
下位者 年齢や社会的地位が下 **例**　友人、後輩など	くだけた表現	丁寧な表現	中

言葉づかいは、年齢や地位といった社会的な上下関係だけでなく、相手と自分の親密度、上司と部下、客と店員など立場や役割に応じて使い分けます。また、誰に対しても「丁寧な言い回し」を意識することが好ましいといっても、「場の空気」を読むことも忘れてはいけません。その場にふさわしい言葉や表現を選ぶことで、相手に対する敬意や親しみの気持ち、気づかいを表しましょう。

巧みに操るなど、相手や状況に見合わせて応じるという意味。

3. 敬語は正しく使う

敬語の表現方法は大きく3つ

敬語	尊敬語	相手を高めて直接的に敬意を表現
	謙譲語	自分がへりくだって相手への敬意を表現
	丁寧語	改まった表現や丁寧な言い回し

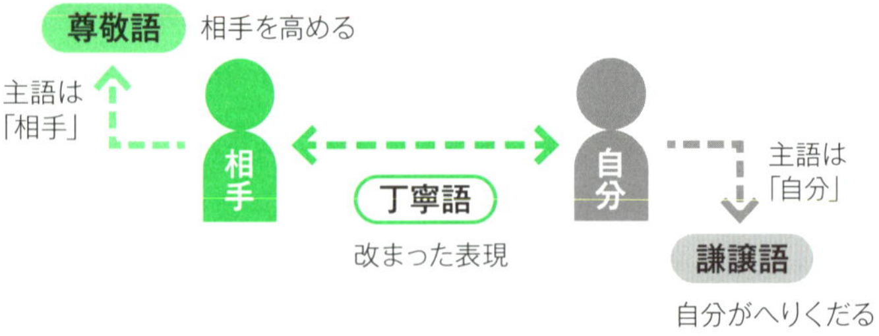

尊敬語は「相手」、謙譲語は「自分」が主語

敬語は、相手や状況に応じて正しく使い分けてこそ、「相手を尊重する気持ち」を伝えるという大きな役割を果たします。

例 食べる　尊敬語 召し上がる　謙譲語 いただく

相手に聞く

召し上がりますか？

× いただきますか？

自分が食べる

いただきます。

× 召し上がります。

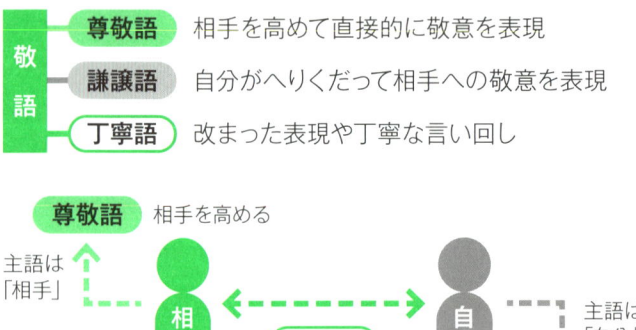

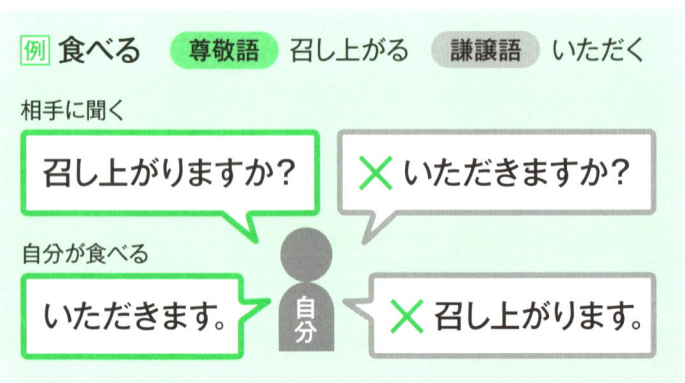

「ウチ」「ソト」を意識する

言葉づかいにかかわらず、社会人の常識として踏まえておきたいのが「ウチとソト」の意識です。自分の家族、友人など親しい間柄の人は「ウチ」。それ以外の人、たとえば仕事関係の知り合い、知人でも親密度の低い人は、「ソト」と考えていいでしょう。

ところが、社会に出れば、状況によって「ウチ」の人を「ソト」の人として対応することがあります。とくに、言葉づかいにはふだんの感覚が出やすいので注意が必要。敬語を正しく使い分けるためにも「ウチソト」の意識を持つことが大切です。

ウチ ソト の関係は状況で変わる！

上司と1対1の時　部長＝ソト

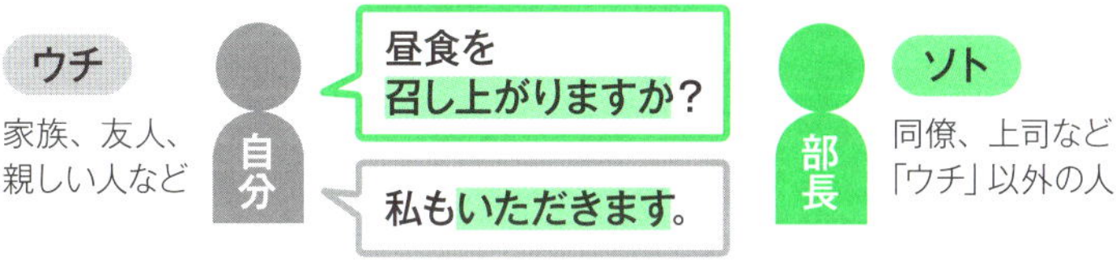
ウチ
家族、友人、
親しい人など
自分
昼食を
召し上がりますか？
私もいただきます。
部長
ソト
同僚、上司など
「ウチ」以外の人

社内の上位者（社長）が同席　部長＝ウチ

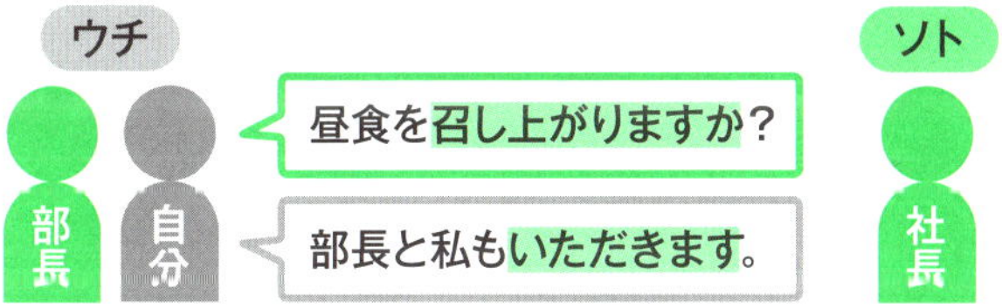
ウチ
部長
自分
昼食を召し上がりますか？
部長と私もいただきます。
ソト
社長

取引先のA氏が同席　社長、部長＝ウチ

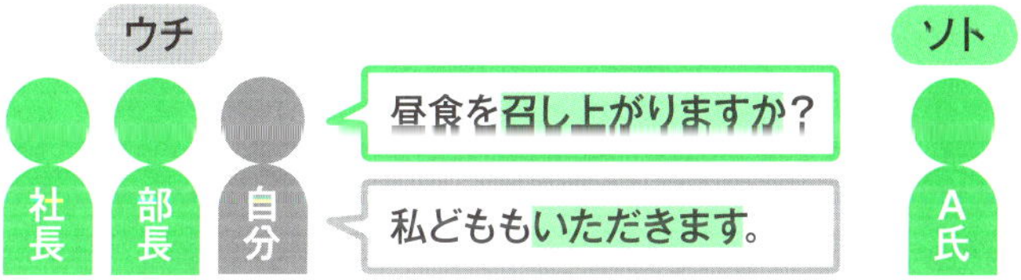
ウチ
社長
部長
自分
昼食を召し上がりますか？
私どももいただきます。
ソト
A氏

「ふだんの言葉」から改める

言葉づかいは「習慣」です。敬語のルールを覚えても、ふだんから使っていないと正しく使い分けるのは難しいものです。敬語に不慣れな人や使い分けに自信がない人は、まず、ふだんよく使う語句や話し方を丁寧な表現に改めるように心がけてください。

始めよう！ 丁寧な表現の基本

丁寧な言い回し または 丁寧語 ＋「です／ます」型

例 **やる** 「する」の俗語的な表現。

丁寧な言い回し します いたす→いたします

× 私が**やります**。

○ 私が**いたします**。

主語が「相手」の場合 尊敬語 なさる

自分

× 部長はテニスを**やられる**んですか？

○ 部長はテニスを**なさる**んですか？

例 **やつ** 人、もの、ことを指す俗語的な表現。

× こちらが、先ほどお話しした**やつ**です。

○ こちらが、先ほどお話しした**もの**です。

「もの」が「見本品」の場合は、「こちらが、先ほどお話しした見本品です」。「人」であれば、「こちらが、担当の山田です」と具体的な言葉に言い換えるとより丁寧な印象になります。

1行話し方教室 ［解答］ A：部長はゴルフをなさいますか？ 相手がする＝「する」の

4.「否定形」でなく「肯定形」で答える

× わかりません。

○ お教えください。

　自分の質問に対して、相手に「わかりません」と言われたらどう感じますか？もしそれが本当だとしても、相手によい印象は抱かないはず。否定的な言葉や後ろ向きな表現は、会話の雰囲気を悪くします。自分が知らないことでも「わかりません」ではなく「教えてください」と、相手と向き合う意思をはっきり示しましょう。相手の話を肯定する言葉、前向きな表現は、同じ内容でも好感度が高くなります。

「言い換え」で印象アップ

例 商談中、次の約束まで残り時間が30分

× もう30分しかないですね。　後ろ向きの表現

○ まだ30分もありますね。　前向きの表現

　会話は常に「前向き」に。プラスのイメージがある言葉、前向きの表現に言い換えると、相手も受け入れやすく、お互いに気持ちよく過ごせます。

表現の言い換え

否定的	→	肯定的
××はできません。	→	○○ならできます。
××は嫌いです。	→	○○は好きです。

「頑固→意志が強い」「鈍感→落ち着きがある」といったように、自分がマイナスのイメージを抱く言葉を、プラスの言葉に言い換える練習をしてみましょう。

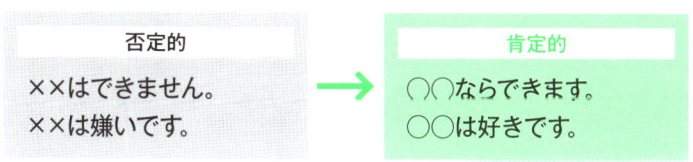

5.「聞かせてもらう」態度が大事

言葉づかいが丁寧であっても、いい加減に聞いていると、それは必ず態度に表れます。相手の話を「聞かせてもらう」態度で聞くことは、公私を問わず社会人のマナーであると心得ましょう。「うるさい小言」も、受け取る側に「聞かせてもらう」という気持ちがあれば、「貴重なアドバイス」になります。

聞き上手になることは、会話を楽しくするコツでもあります。「聞くが8割、話すが2割」の心づもりで、相手の話に耳を傾けましょう。

始めよう！ 聞き上手になる3つのポイント

あいづち 聞き手が話者に関心を持ち、理解していることを示すため会話中に用いる言葉。

同意

例 そうですね

相手に共感した時や、反対意見を述べる場合も、先に同意のあいづちを打つことでその後の会話がスムーズになる。

展開

例 それから？

話題をふくらませ、会話を展開させる。相手の感情の動きに合わせてあいづちを打つことで親近感が増す。

転換

例 ところで

話の方向転換をしたい時に。「ところで、今のお話で思い出したのですが」というように、さりげなく話をそらす。

うなずき 会話中に、あいづちと同時にうなずく、あるいは身をのり出して聞くなど、動作でも話者への関心や理解を示すこと。

オウム返し 相手の言葉をそのまま、あるいは部分を疑問形で返答すること。会話の継続をスムーズにする。

京都へ行きました。

例 京都ですか？

1行話し方教室 相手の話に合わせて受け答えの言葉をはさむ「あいづち」は「打つ」。

話す時の視線、位置や距離も大切

「相手の目を見て話さない人は信用できない」とよく言われますが、じっと見つめ合ったままでは、お互いに息が詰まってしまいます。心理学の研究でも、好意を持っていない者同志が10秒以上目と目を見つめ合うとお互いに敵対的な感情が芽生えるということがわかっているそうです。

また、視線と同様に、相手との位置や距離も、会話の雰囲気を左右します。ビジネスシーン、冠婚葬祭などの改まった席では、立場や役割によって座る位置にもしきたりがあります。そうした決まり事を踏まえてふるまうのも、敬語を正しく使うことと同様、社会人としての常識です。

始めよう! アイコンタクトの視線はやわらかく

アイコンタクトゾーン

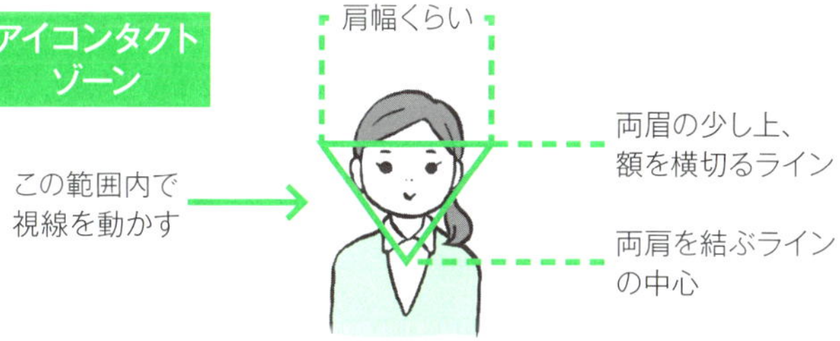

目を合わせる3秒 ⟷（くり返す）⟷ **目をそらす7秒**

× 目を伏せて話す
× 一点を見つめる
× 忙《せわ》しなく視線を動かす

相手の気持ちを理解するためにも、鏡に向かって練習してみましょう。まずは、「まばたきの数を数える」という意識で、自分の目を見ます。

しばらく続けたら、次は、上の要領でアイコンタクトの練習をします。

正確に「0秒」でなくてかまいません。目を合わせた時間の倍くらいの割合で目をそらす、という意識で。一点を見すえるのではなく、適度にゆっくりと視線を動かします。

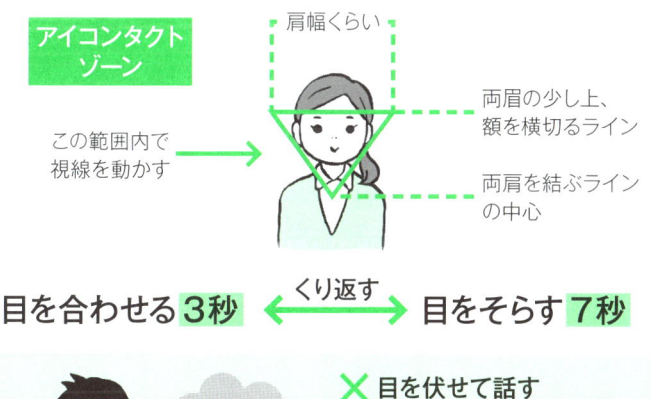

言葉づかいの基礎知識

社会に出てからでは「言葉づかい」を改めるのは難しい？

言葉づかいは大人の気働き

言葉づかいは、洋服を着替えるようにすぐ変えられるものではありませんが、正しい言葉づかいは、何歳になっても、いつからでも身につけることができます。ただし、それを成し遂げられるのは自分だけ。言葉づかいを意識することは、社会人としての自覚を持つことであり“大人の気働き”でもあるのです。

始めよう！ 言葉づかいが悪くなる理由を知る

いつでも誰に対しても **同じ言葉づかい** で接している。

理由は **知識不足**

相手と状況によっては「上から目線」のもの言いと誤解されがち。知識を学ぶだけでなく、くり返し実践して言葉づかいのセンスを磨いていきましょう。

特定の相手にだけ **不適切な言葉づかい** になる。

理由は **社会性が未熟**

相手を好き嫌いや上下関係だけで判断すると、もの言いがきつく、乱暴になることが。誰に対しても丁寧な言い回しを心がけることから取り組むとよいでしょう。

感情的になると **乱暴な言葉づかい** になってしまう。

理由は **感情がコントロールできない**

高ぶる感情を抑えるのは難しいかもしれませんが、「できない」と決めつけずに、努力しようという気持ちを持つことが大切です。すぐには難しくても、心がけ次第で、自分の気持ちを穏やかに表現できるようになります。

1行話し方教室 敬語の使い方が適切なのはどちら？ A：この本を部長にやります。

言葉づかい改善の3つの要素

知る
- 言葉づかいに関する専門書、書籍等を読む
- 人の話を聞く
- わからないことは、その都度調べる、教えてもらう

実践する
- ふだんの言葉づかいを見直す
- イメージトレーニングをする
- 会話の機会を多くする

使い分ける
- 場の空気を読み、適切な表現をする
- 目標となる人を真似てみる

くり返すうちに……

正しい言葉づかいが「習慣」になる

↓

自己表現がうまくできる、周囲の評価が高まる、
他人とのトラブルが起こりにくくなるetc.……

言葉づかいについて学ぶことも大切ですが、得た知識はくり返し実践することで身についていきます。とくにビジネスの世界では、特有の言葉や言い回しがあります。まずは、人の話をよく聞くこと。知らない言葉や適切な使い方がわからない言葉は、そのままにしないでその都度調べるなり、周りの人に教えてもらうなりして、着実に身につけていきましょう。

言葉づかいの基礎知識

社会人の必須「言葉の作法」挨拶・お礼・お詫び

日常の言葉から「公私」を意識する

挨拶、お礼、お詫びがきちんと言える人は、それだけで「礼儀をわきまえた常識ある人」と評価されます。さらに社会人ともなれば、相手と状況に応じた言葉を使い分けるのがマナー。いくら気持ちがこもっていても、友人と話すようにくだけた言葉はビジネスシーンでは通用しません。「公私のけじめ」を意識するという意味でも、挨拶、お礼、お詫びから言葉づかいを見直してみましょう。

始めよう! 挨拶・お礼・お詫びチェックテスト

- □ 気分によって挨拶をする時としない時がある
- □ 相手によって挨拶をしないことがある
- □ 相手が先に声をかけてきたら挨拶をする
- □ 相手が気づかなければ挨拶はしない
- □ 人からお礼を言われたことがあまりない
- □ 感謝の気持ちは、態度で示せば十分
- □ 照れくさいので面と向かって感謝の言葉はかけない
- □ お詫びはなるべくメールや手紙で伝える
- □ 自分によほどの落ち度がない限り、お詫びは不要だ
- □ 気心が知れている人に対してお礼やお詫びは水くさい

1つでも思いあたることがあれば

日常の挨拶、お礼、お詫びで「親しき仲にも礼儀あり」を実践。親しい人にも、きちんと言葉にして気持ちを伝えることから始めましょう。

1行話し方教室 ［解答］B：この本を部長に差し上げます。自分がする＝「やる／与え

気持ちを伝える言葉　挨拶

毎日交わす挨拶で、その人に対する印象は違ってきます。公私を問わずコミュニケーションの基本であり、とくにビジネスの場で重要な役割を果たしているのが「挨拶」です。

人間関係の基礎をつくるのは、相手を心地よい気分にさせる感じのよい挨拶。状況に応じて、適切な表現、態度で挨拶ができるようになれば、社会人としてまた一歩前進したといえます。

始めよう! ふだんの挨拶を欠かさずに

すべての人に

とくに朝の挨拶は重要。家族や近所の人はもちろん、職場に着いたら自分が所属する部署の同僚、上司だけでなく、出会う人すべてに挨拶をします。

自分から先に

挨拶は「先手必勝」。声をかけられるのを待つのではなく、自分から先に声をかけましょう。目上の人や上司に先に挨拶をさせるのは、恥ずべきことです。

明るく元気に

笑顔で、明るく元気に、はっきりとした声で！　ただし、相手の様子や状況に応じて、声のトーンを落とす、会釈だけにするなどの心配りも忘れずに。

相手から挨拶が返ってこなくても続ける

挨拶を返さない、返礼があっても軽く頭を下げる程度なのは、その人の気性や考え方の問題で、気にすることはありません。返礼がなくてもきちんと挨拶を続けていれば、相手の対応も変わってくるはず。温かい気持ちがこもった「おはようございます」という小さなひと言が積み重なることで、あなたに対する親しみや信頼感が築かれていきます。

る」の謙譲語「差し上げる」を使う。

始めよう！ ふだんの挨拶　これだけは必ず！

出社

おはようございます。

相手の名前や天候や季節などの話題をひと言添えると親しみを表現できる。相手が急いでいるなど状況によっては会釈だけでも。午前11時以降は、アイコンタクトと会釈が基本です。

外出

〇〇へ行って参ります。

外出先を具体的に告げることが大切。留守を預かる人に、おおよその帰社時間を伝え、予定より遅れるようであれば必ず連絡を入れる。

帰社

ただ今戻りました。

「ただいま」は、社会人の挨拶として不適切。昼食や私用など業務以外の用事で外出した際も、帰社したら必ず周りにひと声かける。

退出

お先に失礼いたします。

「お先に」だけであとの言葉を省略しては敬意が伝わらない。上司や先輩よりも先に帰る際、とくに予定がなければ「お手伝いできることはありますか」とひと言添える心づかいも大事。

「どうも」だけでは挨拶にならない

「どうも」はくだけた挨拶としてよく使われる言葉。「どうもありがとう」のように感謝や謝罪の気持ちを表す言葉に添えて、その意を強調する効果がありますが、「どうも」だけでは丁寧さに欠け、ビジネスシーンにはふさわしくありません。「どうも」だけですませず、「いつもお世話になりまして、どうもありがとうございます」と最後までしっかりと言葉を続けましょう。

1行話し方教室　言葉は使いようで意味が変わる。挨拶の丁寧語「ご挨拶」は、相手

始めよう! 挨拶とお辞儀のTPO　会釈＜敬礼＜最敬礼

お辞儀の角度は丁寧さと比例する

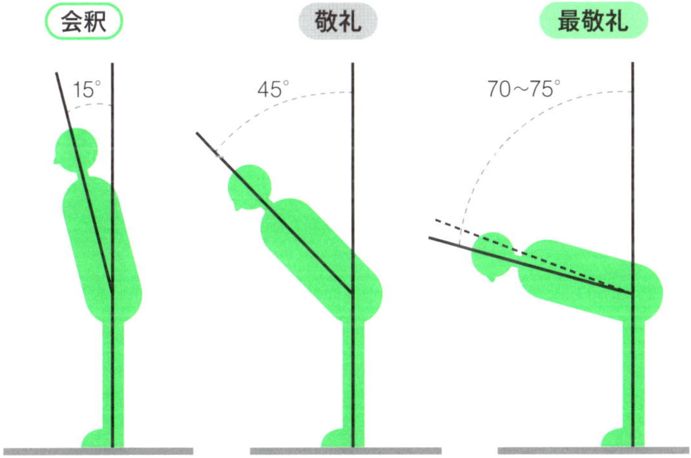

上体を前に15度くらい傾ける。ふだんの挨拶や、目上の人や来客とすれ違う際の軽い挨拶として使うお辞儀。

手を太ももにあて、上体を前に45度くらい傾ける。来客の送迎や初対面の挨拶などで使う丁寧なお辞儀。

手先がひざ頭に触れるくらい、上体を前に傾ける。最高位の敬意や謝罪の気持ちを表すために使うお辞儀。

日本の文化、習慣として、挨拶には必ずお辞儀を添えましょう。また、謝罪の際は、上体を90度近くまで傾ける最敬礼で深いお詫びの意を表します。

顔見知りの相手なら「目礼」だけでもよい

目礼《もくれい》とは、ごく軽い挨拶で使う目と目を合わせるお辞儀です。顔見知りの人や相手が人と話をしている時などは、声をかけずに目礼で挨拶を交わすとよいでしょう。目を合わせるだけでもかまいませんが、笑顔と軽い会釈が加わるとより好印象になります。

の非礼に対する皮肉を込めた言葉としても使われることもある。

始めよう! 挨拶の作法は「語先後礼」と「礼三息」

語《ご》先《せん》後《ご》礼《れい》

- 先に言葉
- 次に動作

相手の目を見て、挨拶の言葉が終わる頃から相手の呼吸に合わせてお辞儀の動作に入る。

礼《れい》三《さん》息《そく》

1 吸う息で上体を前に傾ける。
2 吐く息でとどまる。
3 吸う息で上体を起こして、再び相手と目を合わせる。

目と目を合わせて挨拶をしてからお辞儀をする

人との出会いで最初に交わす挨拶は、第一印象が決まる大切な場面です。お辞儀をしながらの挨拶は、下を向いて話すことになるので好ましくありません。上のように「語先後礼」と「礼三息」の作法にかなった挨拶は、メリハリのある動きが美しく、丁寧な印象を与えます。

気持ちを伝える言葉　お礼

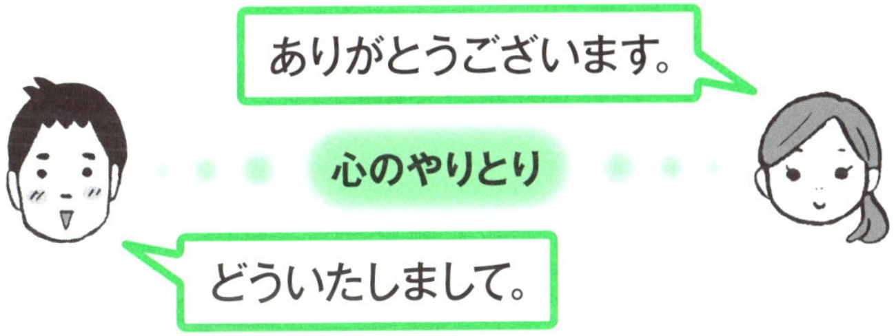
ありがとうございます。
心のやりとり
どういたしまして。

私達がふだん交わす会話は、「伝達の言葉」と「心の言葉」で成り立っています。「伝達の言葉」は文字通り、物事を報告したり、説明したり、いわば機械的に使っているだけの言葉です。そして、「心の言葉」は、相手への思いやりをこめた言葉。内容は同じでも、「心の言葉」でする会話では、互いの「心」をやりとりしています。

挨拶、お礼、お詫びは、そうした心を通わせる会話に欠かせない大切な言葉です。なかでも「お礼」は、どんなに丁寧な言葉を使っても、心がこもっていなければ相手に伝わりません。大切なことはたった一つ、言葉だけでなく心のやりとりをする気持ちで、「ありがとうございます」と言いましょう。

お礼を言う時に「すみません」は使わない

例 相手の気づかいに対してお礼を言う

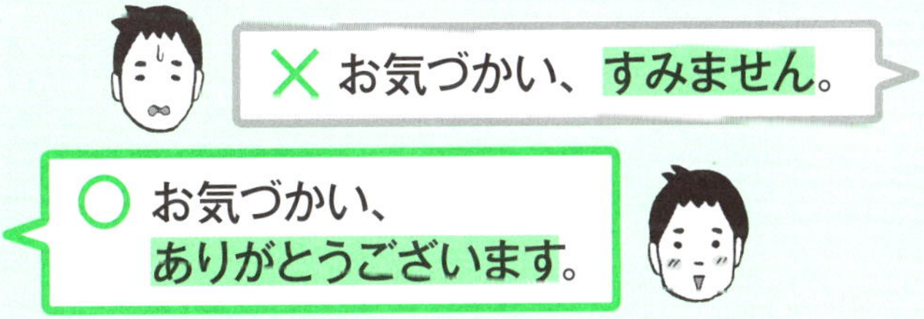
× お気づかい、すみません。
○ お気づかい、ありがとうございます。

「すみません」は、呼びかけにも使う言葉で、お礼の言葉としては丁寧さに欠けます。「ありがとうございます」と感謝の気持ちをストレートに伝えましょう。

始めよう！ 覚えておきたいお礼のマナー

はっきりと伝える

相手に対する感謝の気持ちを素直に、
心の声を恥ずかしがらずに伝える。

日頃の感謝

いつもお心にかけていただきまして、
ありがとうございます。

来訪のお礼

本日は、お忙しい中をお越しいただき
まして、ありがとうございました。

ひと言添える

何に対するお礼なのかがわかるひと言や
うれしい気持ちを伝えることも大事。

訪問のお礼

楽しいひとときを過ごさせていただき
まして、ありがとうございます。

贈り物のお礼

〇〇をありがとうございます。
大切に使わせていただきます。

必ず伝える

お礼を言いそびれても、何かの折に必ず伝える。
先にお詫びのひと言を添えて。

数日後

遅くなってしまいましたが、
先日はありがとうございました。

非礼を詫びる

お目にかかった折にお礼も申し上げずに
失礼いたしました。

1行話し方教室 ［解答］ A：ご担当の方はいらっしゃいますか？　B「～おられま

始めよう! お礼のタイミング「3回の法則」

例 会社の先輩Aに仕事関係の相談にのってもらった

1 その場

今日は、時間を作っていただいて、どうもありがとうございます。

相手に手間を取らせたり、助けてもらったその場でのお礼は、最低限の礼儀。「ありがとうございます」のひと言だけでも、すぐに感謝の気持ちを伝えましょう。

2 別れ際

急なお願いを快く受けてくださって、ありがとうございました。おかげで、少し自信が出てきました。

「別れ際」のお礼には、相手への感謝の気持ちが伝わるひと言を添えて。言いそびれた場合は、電話かメールでもかまわないので、お互いに記憶が鮮明なその日のうちか翌日中にひと言でも伝えておきます。

3 再会時

昨夜はありがとうございました。Aさんのアドバイス通りに、先方にさっそく問い合わせてみました。

毎日顔を合わせる人なら翌日がベスト。次に会った時、再びお礼を言うことで、感謝がより強く相手に伝わり、人間関係を良好にします。相談にのってもらった場合は、事後報告も忘れずに！

感謝の言葉は出し惜しみしない

お礼は最低でも3回、謝罪も同じ。社会人たるもの、お礼とお詫びの言葉は出し惜しみせずに使いましょう。誠意を尽くして、しっかり気持ちを伝えれば、相手もそれに応えようと思うのが人情です。

すか」は「おる」=「いる」の謙譲語なので不適切。

気持ちを伝える言葉　お詫び

お詫びの基本語　申し訳ございません。

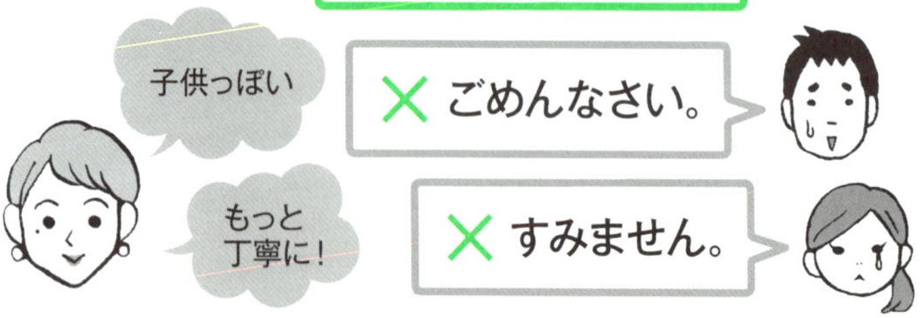
子供っぽい
× ごめんなさい。
もっと
丁寧に！
× すみません。

社会人として、言葉づかいに最大限の配慮が必要なのが「お詫び」です。人は、多かれ少なかれ、過ちをおかす生き物。まして、社会人ともなれば、抜かりのないように心していても仕事にミスは付き物です。自分に落ち度がなくても、謝罪しなければならないこともあるでしょう。

言葉には力があります。言葉一つで、相手の心のスイッチが入り、怒りを助長させてしまうようでは会社の将来を左右する事態に発展しかねません。対応の仕方は状況で異なっても、真っ先に「申し訳ございません」と真摯にお詫びしなければなりません。

※「申し訳ございません」という表現については96ページのコラムもご覧ください

「迅速・誠実・丁寧」が謝罪の三原則

迅速に対応　相手の心象を損ねて、傷口を広げないために、ミスやトラブルに気づいた時点で、すぐにお詫びを。取引先とのトラブルは、上司にもできるだけ早く報告して指示を仰ぎます。

誠実な態度　相手が理不尽な反応をしても、誠実な態度で臨み、こちらから出向くことも大切。「申し訳ございません」とただくり返すのではなく、反省や問題をどう処理するかなど具体的に伝えます。

丁寧な表現　ありきたりな言葉では、反省や誠意は届きません。いざという時に備えて、相手の怒りを鎮められる表現を用意しておきましょう。

1行話し方教室　「ごめんなさい」は、相手に免じて（許して）もらうことを求める「要

始めよう！ 覚えておきたいお詫びの言葉

反省を示す

例 **大変申し訳ございません。深く反省しております。**

＋

例 上司にミスを指摘された

ひと言

ご忠告をありがとうございます。肝に銘じます。

迷惑をかけた

例 **多大なご迷惑をおかけして、誠に申し訳ございません。**

＋

例 自分側に落ち度があった場合

ひと言

私どもの不手際で〜

私の勉強不足で…

後日の謝罪

例 **このたびはお騒がせして、大変申し訳ございません。**

＋

例 相手の怒りが鎮まらない時

ひと言

弁解の余地もありません。

相手の怒りを鎮めることばかり考えて、ひたすら低姿勢で丁寧な言葉を使えばいいというものではありません。言葉に態度が伴って初めて相手に対する敬意やお詫びの気持ちは伝わります。「口先だけ」と受け取られないように、どう反省しているのか、事後の処理やその進み具合などをできるだけ具体的に述べるように心がけましょう。

求」の意味があり、謝罪の言葉としては丁寧さに欠ける。

おさらい「大人の言葉づかい」

① わかりやすい言葉で話す

- 「丁寧な言い回し」を習慣づける。
- 基本的な敬語の使い方を身につける。
- 相手が聞いてすぐに理解できる言葉を使う。
- 部外者に対して、仲間内だけで通用する言葉や職場用語は使わない。
- 漢語、外国語の多用は控える。
- 聞き間違えやすい「同音異義語」や「類音語」に気をつける。

もっと知りたい → 2章 敬語の使い方 / 3章 丁寧な言い回し / 4章 コミュニケーションの言葉

② 言葉は相手と状況で使い分ける

- 言葉づかいの「ウチ」と「ソト」の意識を持つ。
- 相手の気持ちを察し「場の空気を読む」感覚を磨く。
- 付き合いの程度や相手との距離感を言葉で表現する。
- 場の雰囲気にそぐわない言葉や表現があることを知っておく。

もっと知りたい → 2章 敬語の使い方 / 5章 言葉づかいの作法

③ 丁寧で、感じのよい表現を心がける

- 誰に対しても、命令口調にならないように気をつける。
- 敬語の意味を知り、正しく使う。
- 良好な人間関係を築いていける言葉を使う。
- 人を傷つける、不快にさせる言葉は使わない。
- 感情だけで言葉を発しない。
- 苦手意識を抱いていても、相手を尊重する気持ちを常に持つ。

もっと知りたい → 2章 敬語の使い方 / 6章 困った時のものの言い方

2章

敬語の使い方

マナーは「思いやり」を形にしたもの。
心と行動を重ね合わせて実践していくことで身につきます。
そして、敬語も然り。
相手を尊重する気持ちをきちんと言葉にしていきましょう。

敬語の使い方

ルールがわかれば敬語は身につく

敬語は人の為ならず、自らの品格を表す

敬語は、人間を上下に位置づけするためのものではなく、その重要な役割は、相手を尊重する気持ちを表すことです。

敬語は、敬意の大きさに基づいて用いますが、ここで言う「敬意」とは尊敬する気持ちだけではありません。たとえば、その人の社会的な地位や立場を尊重して、敬語を使って話すことは、敬意の表現です。では、社会的地位が高くても、相手が尊敬できない人物であったらどうでしょう。尊敬できないから敬語は使わない。それは、相手に対する非礼であるだけでなく、自分自身の品格をも貶《おとし》めることになってしまうのです。

常識ある社会人として自分自身を表現することも、敬語の大切な役割の一つです。場面に応じて、正しく敬語を使うことは、相手を尊重するとともに、自身の品格を高めます。

敬語は大切な自己表現の方法

場に寄り添う
公私のけじめ、
会合の重要性や格式を
明確にできる。

気持ち
伝えたいことを相手が
受け入れやすく表現できる。

関係
自分の立場、
役割を明確にする。

情報
親密度、相手との
距離感を表現できる。

かたち
思いやりを状況に
適したかたち（形式）で
表現できる。

1行話し方教室 「心をもって作法を成す」の心構えで、相手を敬い、尊重する気持ち

敬語の使い方基本ルール

1. 敬語の5分類と基本的な使い方

文化庁文化審議会の国語分科会は、敬語の分類を従来の「尊敬語」「謙譲語」「丁寧語」の3分類から、2007年2月の「敬語の指針」により5分類に変更しました。現代の用語に合わせて、「謙譲語」と「丁寧語」を細分化し、よりわかりやすくするためのもので、基本的な使い方は、従来の3分類と大きな変化はありません。

従来の分類	敬語の分類	働き	使い方の例
尊敬語	尊敬語	相手側または話題になる第三者の行為・ものごとなどを高めることで直接的に敬意を表す。	置き換え型　言う→おっしゃる 付け足し型　「お／ご～になる」 読む→お読みになる
謙譲語	謙譲語Ⅰ	自分側の行為・ものごとなどをへりくだって表現することで、間接的に相手側への敬意を表す。	置き換え型　言う→申し上げる 付け足し型　「お／ご～する」 連絡する→ご連絡する
謙譲語	謙譲語Ⅱ（丁重語）	自分側の行為・ものごとなどを、丁寧に表現する。	置き換え型　言う→申します 付け足し型　「お／ご～いたす」
丁寧語	丁寧語	ものごとを相手に対して丁寧に述べる表現。	「です・ます」型　語尾を「です・ます」にする。 「ございます」型　語尾を「ございます」にする。
丁寧語	美化語	ものごとを美化して、相手側または会話や文章の品格を高める。	接頭語として「お」「ご」などを付ける。

2. 相手と自分の関係を基本にする

敬語に苦手意識があったり、大切な場面で緊張したりすると、尊敬語と謙譲語を混同しやすくなるので気をつけましょう。ビジネスの大切な場面で、尊敬語を使ったつもりが、相手の立場を低めるようなもの言いになっては大変です。ここ一番という時に恥をかかないように、まずは、尊敬語と謙譲語、それぞれの働きをしっかりと頭に入れておきましょう。

相手に向ける「尊敬語」、自分に使う「謙譲語」

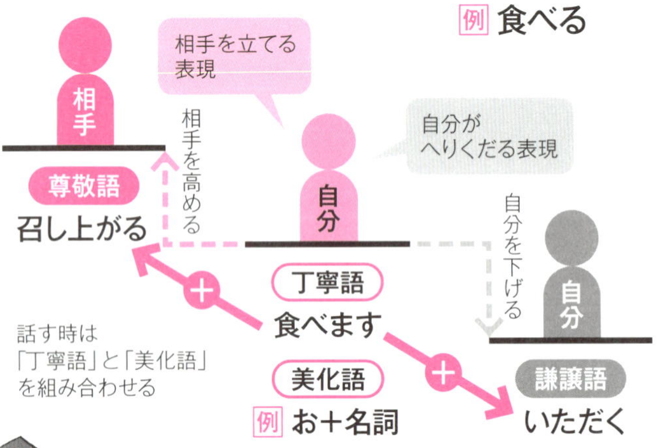

敬語の基本ルール1

「丁寧語」と「美化語」を組み合わせる

例「食事」を「食べる」　　丁＝丁寧語　美＝美化語

美＋尊敬語＋丁　　**お**食事を**召し上がりますか**？

謙譲語＋丁　　食事を**いただきます**。

1行話し方教室　形式ばった敬語は、親しみや感謝の気持ちが伝わりにくいもの。距離

始めよう！ 敬語は「ウチ」「ソト」の意識で使う

例 見る　尊敬語 ご覧になる　謙譲語 拝見する

「自分」が主語　謙譲語

自分が見る

○ 計画書を拝見いたします。

× 計画書をご覧いたします。

上司に聞く 「上司」＝ソト が主語　尊敬語

上司が見る

○ 計画書をご覧になりましたか？

× 計画書を拝見なさいましたか？

取引先に伝える 「上司」＝ウチ が主語　謙譲語

取引先

○ 部長の山田も拝見しております。

敬語の基本ルール2

敬意を向ける先は「立てるべき人＝ソト」

ウチ ＝自分側の人＝主語の場合　謙譲語　丁寧語

ソト ＝立てるべき相手＝主語の場合　尊敬語

ビジネスの場で、社内と社外の人が同席する場合、基本的に社内の人は社長であっても「ウチ」、社外の人はすべて「ソト」と考えます。「ウチ」の人には敬語を使わないのが鉄則。自分より年下でも、地位が低くても、「ソト」の人は「立てるべき相手」なので、敬語を使います。最初は戸惑うかもしれませんが、「ウチ」「ソト」の感覚がわかると、ふだんの敬語づかいにも迷いがなくなってきます。

を置いて付き合いたい相手には、それが意思表示にもなる。

3. 敬語は付け足し型と置き換え型がある

ある言葉を敬語で表現するには、2つのパターンがあります。一つは、動詞や名詞の頭に「お（ご）」を付け、語尾を「～になる／くださる、する／いたす」などにする「付け足し型」です。「書く」を例にすると、尊敬語は「お書きになる」、謙譲語は「お書きする」となります。

ところが、「言う」を「付け足し型」にすると「お言いになる」「お言いする」のように、言葉として不自然です。この場合は、同じ意味を持つ別の言葉を使う「置き換え型」を用います。

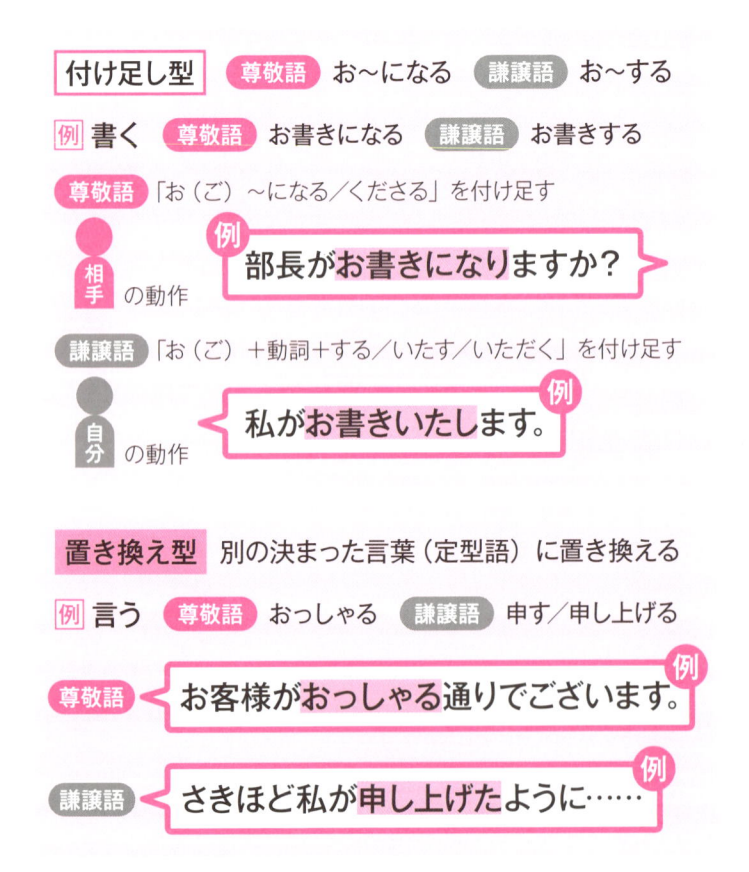

付け足し型　尊敬語　お～になる　謙譲語　お～する

例　書く　尊敬語　お書きになる　謙譲語　お書きする

尊敬語「お（ご）～になる／くださる」を付け足す

相手の動作

例　部長が**お書きになり**ますか？

謙譲語「お（ご）＋動詞＋する／いたす／いただく」を付け足す

自分の動作

例　私が**お書きいたし**ます。

置き換え型　別の決まった言葉（定型語）に置き換える

例　言う　尊敬語　おっしゃる　謙譲語　申す／申し上げる

尊敬語　例　お客様が**おっしゃる**通りでございます。

謙譲語　例　さきほど私が**申し上げた**ように……

1行話し方教室　敬語の使い方が不適切なのはどちら？　A：よろしければ、傘をお持

始めよう! 「『になる』は尊敬、『する』は謙譲」が基本

「付け足し型」か「置き換え型」か迷った時は、まず「付け足し型」にあてはめてみます。「待つ」を例にすると、「お～になる」に相手の動作を入れると「お待ちになる」という尊敬の表現。「お～する」に自分の動作を入れると「お待ちする」という謙譲の表現になります。

このどちらにもあてはまらない場合は「置き換え型」。定型語を用いる言葉はごくわずかですが、よく使う言葉はしっかり覚えておきましょう。

例「言う」を 付け足し型 にすると……

尊敬語 お＋言う＋になる

× 部長が**お言いになる**通りでございます。

謙譲語 お＋言う＋する（いたす）

× **お言いいたし**ましたように……

敬語の基本ルール3

敬語変換の主流は「付け足し型」

付け足し型 「お～になる／お～する」などを付け足す

- **尊敬表現** ＝お（ご）＋相手の動作＋になる
- **謙譲表現** ＝お（ご）＋自分の動作＋する

↓ どちらにもあてはまらない場合

置き換え型 決まった言葉（定型語）に置き換える

例 食べる→召し上がる／いただく　見る→ご覧になる／拝見する

よく使う言葉の「定型語」は覚えておく！

ちください。　B：よろしければ、傘をお持ちしてください。

始めよう！「置き換え型」の尊敬語、謙譲語を覚える

「置き換え型」は尊敬と謙譲の両方を表現できる言葉と、尊敬か謙譲のどちらかにしか使えない言葉があります。数が少ないといっても不規則なので、これだけは覚えておくしかありません。「置き換え型」の中でもよく使う言葉を一覧表にしました。文字で読むだけでなく、声に出して練習してみましょう。

基本語	尊敬語	謙譲語
言う	おっしゃる、言われる	申す、申し上げる
見る	ご覧になる	拝見する
見せる※	お見せになる	お見せする、お目にかける
聞く※	お聞きになる、お尋ねになる	お聞きする、伺う、拝聴する
行く	いらっしゃる	伺う、参る
来る	おいでになる、お見えになる、お越しになる	参る
帰る※	お帰りになる	失礼する
いる	いらっしゃる	おる
する	なさる、される	いたす
もらう	お受け取りになる	いただく、頂戴する
やる・与える	お与えになる、くださる	差し上げる、進呈する、あげる
食べる	召し上がる	いただく、頂戴する
知る	ご存じ（でいらっしゃる）	存じる、存じ上げる
会う	お会いになる	お会いする、お目にかかる
借りる※	お借りになる	お借りする、拝借する
着る	お召しになる、ご着用になる	着させていただく
集まる※	おそろいになる	なし
気に入る	お気に召す	なし

※尊敬語、謙譲語の両方またはどちらかが「付け足し型」にもあてはまる言葉

 ［解答］B：よろしければ、傘をお持ちしてください。「お持ちして」

4. 敬語は同じ“レベル”で統一する

言葉には、それぞれに“レベル”があります。自分のことを指す「俺、僕、わたし」と「わたくし」では、敬意や丁寧さの“レベル”は、前者が低く、後者は高くなります。家族や友人とのくだけた会話では気にしなくていいのですが、敬語を使って丁寧に話す際は、こうした言葉の“レベル”を統一することが大切です。

その理由を「受付の対応」を例にして考えてみましょう。

例 来社した取引先のA氏に対して

営業担当が会いたいそうでございます。

丁寧さが不一致。

ただ今、部署の方が参りますので、

主語と述語のレベルが不一致。

ロビーでお待ちしてください。

「待っているように」と指示の意味になる失礼な表現。

敬語ではない「会いたい」に謙譲表現の「ございます」をつなげたり、自社の人を「～の方」と丁寧表現していながら「参る」と謙譲語を使ったり、敬語の使い方以前に、聞く人に違和感を与える言葉づかいです。

では、正しく敬語を使い、統一感のある言葉づかいにするとどうでしょうか。

○ 営業担当がお会いしたいと申しております。
ただ今、部署の者が参りますので、
ロビーでお待ちいただけますでしょうか。

敬意を向ける先は誰なのかが明確で、相手に対する配慮が感じられます。統一感のある言葉づかいは、自然でわかりやすく、知性と常識を備えた社会人として評価される話し方です。

＊「お持ちする」は自分がすることに使う謙譲表現。

5.「お／ご」などの美化語は乱用しない

言葉の頭に「お／ご」などを付ける「美化語」の主な働きは、ものごとを美化して、会話や文章の品格を高め、丁寧な印象にすることです。

例「酒」を「飲む」　尊敬語 召し上がる　謙譲語 いただく

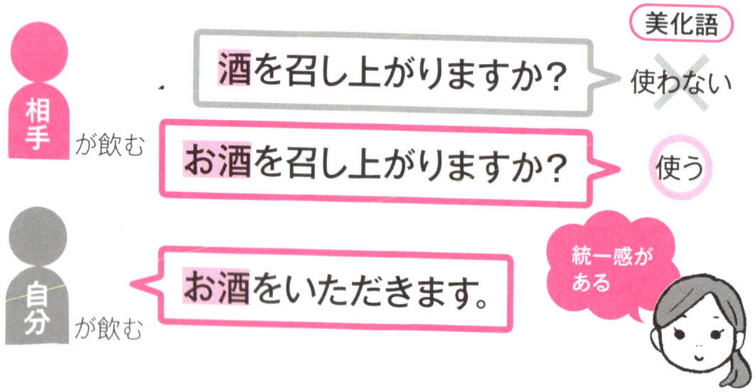

相手が飲む
酒を召し上がりますか？
美化語
使わない
お酒を召し上がりますか？
使う
自分が飲む
お酒をいただきます。
統一感がある

美化語は、相手への敬意を直接表すものではありませんが、会話や文章の表現の上品さ、美しさの水準が高まる結果として、敬意も強調されます。ただし、すべての言葉を美化語にすれば格調が高くなるわけでなく、使い方次第ではかえって品位を落とすこともあります。話し言葉ではとくに乱用に注意が必要です。

美化語を使わない言葉

野菜、動物、自然現象	例 にんじん／白菜／犬／猫／晴天／雨／地震 ※「雪→みゆき（御雪／深雪）」、「空→おそら」など例外もある。
外来語、外国語	例 コーヒー／ビルディング／トイレ、など。
職位などの敬称、尊称	例 社長／先輩／先生／皆様、など。
「お」で始まる短縮語	例 おでん（田楽）／おすまし（すまし汁）／おこた（こたつ）、など。
よい意味でない言葉	例 貧乏／泥棒／火事、など。
美化語によってニュアンスが変わる、または不自然になる言葉	例 高い／袋／役所／学校／応接間／大広間、など。

1行話し方教室「お」「ご」「み」「おみ」は、漢字の「御」という字。時代とともに

始めよう！ 言葉を美しくする正しい美化語の使い方

美化語を使ううえで大切なのは、他の言葉とのバランス。くだけた言葉づかいで話す時に、美化語を意識する必要はさほどありませんが、敬語で話す際は、美化語を使わないと言葉のバランスが悪くなってしまいます。

尊敬語や謙譲語と同様に、美化語の使い方にも「付け足し型」と「置き換え型」があります。「付け足し型」の場合、次の言葉が「和語＝訓読み」なら「お」、「漢語＝音読み」であれば「ご」を頭に付けるのが基本。「和語」でも慣例として「ご」を付ける場合や「漢語」に「お／ご」の両方を用いる場合もあります。

敬語の基本ルール4

敬語で美しく話す美化語の法則

付け足し型

言葉の頭に「御」を付ける。
「御」は、付加する言葉によって読み方が変化する。

和語＝漢字を訓読みにする言葉→「お／み／おみ」
例 お酒／み心／おみ足、など。

漢語＝漢字を音読みにする言葉→「ご」　例 ご意見　ご無事

和語同様に慣れ親しんだ漢語は「お／ご」の両方を用いる場合もある。
例「お」を用いる漢語　　お電話／お料理
例「お／ご」ともに用いる漢語
誕生→お誕生／ご誕生　返事→お返事／ご返事
※「お～」は美化語として、「ご～」は尊敬語または謙譲語として使われる傾向がある。

「お／ご」を付けないと意味が違ってくる言葉、
意味がわからなくなる言葉
例 おしのび（忍び）／おしゃれ／おかわり／おやつ（御八つ）／
おかず（御数）／おまいり（参り）／おじぎ（辞儀）、など。

置き換え型

言葉そのものを置き換える。

例 めし（飯）→ごはん（ご飯）／髪→おぐし／はら（腹）→おなか／
みず（水）→おひや／うまい→おいしい、など。

※慣例として、野菜や外来語に美化語を使うことがありますが、人によっては、違和感を感じることもあり、本書では「美化語を使わない言葉」としています。

敬語が簡略化されて美化語も変化し、現代では「お」「ご」以外はあまり使われない。

6.「ビジネス敬語」は社会人の常識

ビジネスの世界には、特有の言い回しがあります。ふだんの生活では使わない、耳にしないような言葉もありますが、大切なビジネスパートナーに敬意を示すだけでなく、誤解や混乱を防ぐためでもあるので、仕事をするうえで避けて通れません。

よく使う言葉、フレーズは覚えてしまうのが一番。ここでは、ごく基本的な単語とオフィスでよく使うフレーズをビジネス特有の言い回しに変換した例を紹介します。巻末（P216～223）にも、覚えておきたいビジネス特有の言い回しをあげておきますので、ぜひ参考に。また、一般的な「ビジネス敬語」では自分が言いたいことが適切に表現できない場合は、他の言葉に置き換えるか、表現を変えて、わかりやすく伝える工夫も大切です。

ビジネス敬語　基本単語編

わたし　僕	→ わたくし	わたしたち	→ わたくしども
自分の会社	→ へいしゃ（弊社） 私ども	相手の会社	→ おんしゃ（御社） きしゃ（貴社）
誰	→ どなた	どこ	→ どちら
こっち	→ こちら	あっち	→ あちら
そっち	→ そちら	どっち	→ どちら
きのう（昨日）	→ さくじつ	今日	→ ほんじつ（本日）
あした（明日）	→ みょうにち	明日以降	→ ごじつ（後日）
昨日の夜	→ さくや（昨夜）	明日の朝	→ みょうちょう（明朝）
明日の夜	→ みょうばん（明晩）	その日	→ とうじつ（当日）
今年	→ ほんねん（本年）	去年	→ さくねん（昨年）
おととし	→ いっさくねん（一昨年）	もうすぐ	→ まもなく
いま（今）	→ ただいま	すぐ	→ さっそく
あとで	→ のちほど	さっき	→ 先ほど
とても	→ 大変　誠に	～ぐらい	→ ～ほど

1行話し方教室　声だけで会話する電話。ビジネスでは気配りとして、聞き間違えやす

ビジネス敬語　基本フレーズ編

誰（だれ）ですか？	どちら様でしょうか？
何の用ですか？	どのようなご用件でしょうか？
いつもお世話様です。	いつもお世話になっております。
私が聞きます。	私がお伺いいたします。
そうです。	さようでございます。
知りません。	存じ上げません。／わかりかねます。
久しぶりですね。	ご無沙汰しております。
くり返します。	復唱いたします。
ちょっと待ってください。	少々お待ちいただけますか？
こっちに来てもらえますか？	こちらにお越しいただけますでしょうか？
もう一回来てください。	もう一度お越し願えますか？
できません。	いたしかねます。
やめてください。	ご遠慮願います。
わかりましたか。	ご理解いただけたでしょうか？
わかりました。	かしこまりました。
ご一緒します。	お供させていただきます。
あとで連絡します。	のちほどご連絡申し上げます。
～はどうしますか？	～はいかがいたしますか？

い数字は、8日は「はちにち」のようにわかりやすく、ゆっくりと発音する。

敬語の使い方

正しく使いこなすために知っておきたい敬語の「落とし穴」

「誤」を知って「正」を理解する

仕事の話はソツなくできるけれど、雑談となると途端に自信がなくなるという人がいます。ほんの数分前まで丁寧な言葉づかいで新商品の説明をしていた相手とゴルフや旅行を話題に談笑が始まれば、「この話し方でいいのかな？」と戸惑うのは当たり前です。

相手がくつろいだ様子でも、「それってヤバいですね」とふだんの話し方で接するわけにもいかない。かといって堅い言葉づかいはよそよそしく、丁寧に話しているつもりが妙な敬語になってしまうこともよくあります。相手が誰であっても、会話が楽しいかどうかは、まず話の内容が問題。“新商品の説明”をした時と同じように、丁寧な言葉づかいでも、お互いにくつろいで楽しい会話はできるのです。

「この話し方でいいのかな？」と不安を感じたり、妙な敬語で失敗したりするのは、日頃から自分の言葉づかいのクセや間違った使い方を認識できていないからです。正しい言葉づかいや感じのよい話し方を身につけるには、何が間違っているのかを知ることも必要。そして、もし自分の言葉づかいの間違いに気づいたら、正す努力をするのも、社会人としての心得です。

1行話し方教室「お申し出ください」は、正しい言い方であるとしつつも違和感があ

1.「話し言葉」と「書き言葉」

ふだんから「話し言葉」と「書き言葉」の違いを意識している人は、そう多くはいないと思います。最近は、手紙よりもメールでのやりとりが多く、“話す”感覚で“書く”という人が増えている一方で、結婚披露宴でのスピーチや会議で発言するとなると「書いたもの」を「話す」という人がほとんどです。

“話す感覚”で書くことに慣れているため、“書いたもの”をそのまま「話し言葉」として使うことにも疑問を感じにくくなってしまいます。かっちりとした「例文」をいくつもつなげて「敬語を使いこなしている」と慢心してはいけません。

そもそも「話し言葉」と「書き言葉」は区別するべきもの。現代の「書き言葉」は、昔の「文語」ほどではないといっても、「書く」と「話す」では、言葉の使い方や一つの文章の長さが違ってきます。「まわりくどい」と相手に感じさせてしまうのは、それが理由の一つ。「話し言葉」は、簡潔にわかりやすく、スマートな表現を意識しましょう。これは、日常でもビジネスでも、会話で人間関係をよくする秘訣でもあります。

「話し言葉」は同音異義語に気をつける

漢字、ひらがな、カタカナを使い分けて、視覚的に意味を明確に伝えることができる「書き言葉」と違って、声で伝える「話し言葉」は誤解が生じることがままあるもの。とくに、日付や時間などの数字、発音が同じで意味が異なる同音異義語は、別の言い方や言葉に置き換えてわかりやすく伝えます。

例 新商品の問い合わせ　相手の会社＝「御社」「貴社」

口頭「御社」

「きしゃ」は、帰社、記者、汽車など同音異義語が多い。

御社の新製品のことで……

文書「貴社」

文書では「貴社」を使うのが慣習。

このたび貴社より発売されました新製品○○について……

る表現。気になる場合は「言う」の尊敬語「おっしゃってください」を使う。

2. 意味を取り違えやすい「れる／られる敬語」

丁寧な感じ、上品な雰囲気……、上辺だけを真似た話し方は、あくまで「敬語のような感じ」がするだけで、聞く側は、話の内容がさっぱりわからず疲れてしまうばかり。「雰囲気敬語」と言いたいような安易な敬語表現を代表するのが、「れる／られる敬語」と呼ばれる言い回しです。

言葉に「れる」か「られる」を付けると尊敬表現になる、これは間違っていません。ただし、「れる／られる」さえ付ければ「敬語」になるとは限らないのです。そのため、安易に「れる／られる敬語」を使うと、相手は意味を取り違えてしまいます。

また、「言う→おっしゃる」のようにすでに尊敬語に変換された言葉に、「れる／られる」を付加して使う人も多く見受けられます。これは「二重敬語」という、過剰な敬語表現の典型です。難しい文法を気にする必要はありませんが、最低限のルールを心得ておけば、何が正しくて、何が間違っているのかに気づく“センス”も磨かれていくことでしょう。

覚えておきたい「れる／られる」の法則

れる　読む→読ま[yo-ma]ない＝**読まれる**

[ない]を付けた時に、ア音で終わる動詞に付ける。

られる　出る→出[de]ない＝**出られる**

「れる」にあてはまらない言葉に付ける。

「4つの意味」が混乱の原因に

受け身　他者に「〜された」
例　悪い噂を聞かされた。

自発　自然と「〜になる」
例　街中に知られる。

可能　「〜できる」
例　絶景を見られた。

尊敬　「〜なさる」
例　部長はもう帰られた。

1行話し方教室　敬語は、慣れから誤用と知らずに使い続けていることが多々ある。「間

資料を見られましたか？

受け身　資料を誰かに見られてしまった

可能　資料を見ることができた

尊敬　資料を見た

3通りに
解釈できる

どうすれば
いいの？

尊敬語を
使えば解決！

○ 資料をご覧になりましたか？

もう一つの“落とし穴”「二重敬語」

× 部長がおっしゃられるように……

おっしゃる ＋ られる ＝ 尊敬語 ＋ 尊敬表現

○ 部長がおっしゃるように……

尊敬語　おっしゃる

すでに敬語になっている言葉は、そのままで十分です。ただし、下のように、慣例として定着している使い方は、誤用とみなされません。

お／ご ＋ 敬　語 ＋ になる／する

例　**お召し上がりになる**　お ＋ 尊 召し上がる ＋ になる

例　**お伺いする**　お ＋ 謙 伺う ＋ する

敬語連結

2つ以上の敬語を接続助詞「て」でつないで用いること。この表現は、敬語の使い方も適切で「二重敬語」ではない。

例　尊 **お読みになっ** ＋ て ＋ 謙 **いただく**

3. 過ぎたるは“不敬”のもと

日本語には、「敬意逓減」と呼ばれる法則があります。ある敬語の表現する敬意が、時代とともに失われていく現象です。たとえば、現代では、蔑称に近い「貴様」は、本来は敬意を込めた二人称でした。

より丁重にと思うほど、敬語表現が過剰になることがあります。一つの敬語が、時の流れの中で「慣れ」によって敬意が失われていったように、一人の人間の中でも「敬意逓減」は起こりうるでしょう。もっと丁寧に、もっと敬意を強調しなければとさらに過剰になっていくばかり。でも、その気持ちが相手に届くとは思えません。丁寧すぎる言葉づかい、過剰な敬語表現は、敬意どころか不敬といってもよいほど。「過ぎたるは及ばざるが如し」であることを忘れずに！

始めよう！ 「過剰病」はいますぐ正そう！

✕ 「〜させていただく」の多用

✕ 先日**お話しさせていただいた**件について**ご相談させていただきたい**と存じまして、**ご連絡させていただき**ました。

↓

○ ○○の件について、**ご相談させていただきたい**と存じまして、連絡いたしました。

「〜してもらう（させる）」という使役（命令）の意味の「せる／させる」が、「もらう」の謙譲語「いただく」と連用形になると、「〜させていただく」というこちらの謙虚な姿勢を表現できます。

とはいえ、同じ言葉が続くと聞きづらく、まわりくどい印象になるもの。上の例の場合なら、「させていただく」を使うのは重要な目的「相談させてもらう」だけに限っても、謙虚な姿勢は十分に伝わり、すっきりとまとまります。

1行話し方教室 「さ入れ言葉」の同類として、可能を表現する「書ける」を「書けれ

✕ 敬語どころか誤用でしかない「さ入れ言葉」

「さ」は不要

私が行かさせていただきます。

↓

「行く」を使うのであれば……

私が行かせていただきます。

正解！

謙譲語「参る」を使う！

○ 私が参ります。

“さ”がいらない

「せる」にするべき動詞に「させる」を誤用するのが「さ入れ言葉」です。「行かさせていただく」「読まさせていただく」という言い回しは、不要な「さ」が入っているため、話す、聞くどちらにも違和感があるはず。「～させていただく」は丁寧な言い回しに聞こえるので多用しがちですが、「さ入れ言葉」はそもそも言葉として間違った使い方です。敬語のつもりで使っていると、常識を疑われてしまうので気をつけましょう。

✕ 何にでも「お／ご」を付ける「美化語病」

✕ おビールでもいかがですか？

✕ お一人ずつ、お箸で、
お料理をお皿に
お取りになって
お召し上がりください。

乱用にご用心！

“お”が多すぎる

飾るにしても、言葉の場合は、すっきりとまとめたいもの。聞き取りにくいようでは、美化語を使う意味がありません。

る」と余計な「れ」を挿入する「れ足す言葉」がある。

美しい言葉づかいは“丸ごと”身につける

私は、講演や研修で多くの方々にお目にかかる機会を得るたびに「マナーは“心”です」と伝えてきました。マナーは、よりよい人間関係を築くために欠かすことのできない「生活の知恵」。脈々と受け継がれてきた作法やしきたり、ビジネスの世界、インターネットでの交流にも、それぞれにマナーがあり、敬語を含めた言葉づかいも、その一つです。

そして、マナーには、なぜそう決められているのか、という意味が必ずあります。「基本」といっても決まり事がたくさんあって、これでは覚えきれないと感じている人もいるでしょう。でも、本に書いてあることをただ丸覚えすれば安心というわけではありません。敬語をはじめとして言葉づかいのルールは、人と人が気持ちよく交流するための“マナー”です。その中でも、敬語は、相手を大切に思う心を伝えるもの。相手を敬う気持ちを込めるのが尊敬語、自分がへりくだって相手を立てるのが謙譲語。言葉や表現の意味を理解すれば、相手にどんな言葉＝心を伝えたらよいのかが自然とわかってきます。それが、敬語を“丸ごと”身につける、使い分けるということなのです。

1行話し方教室　敬語の使い方が不適切なのはどちら？　A：筆記用具をご持参くださ

社会人の話し方練習帖

挨拶 出会った人への“思いやり”を込める

挨拶は、言葉を向ける相手が誰であっても、その場にふさわしい言葉とお辞儀で心からの敬意を表しましょう。挨拶には、お辞儀の仕方がとても大切です。挨拶の言葉は「頭を下げながら」ではありません。よい表情を相手にはっきり見せるようにします。ホテルでもレストランでも、しっかりと教育された接客係は、礼儀正しいけれど親しみを感じさせる、こうした挨拶をしています。機会があったらぜひチェックしてください。

始めよう！ これだけは欠かせない3つの「挨拶↔返礼」

ふだんの言葉 こんにちは　こんばんは

挨拶：お疲れさまです。

返礼：お疲れさまです。

社外の人には いつもお世話になっております。

目上の人には 社長、重役にはお辞儀だけでもよい。必ず立ち止まって敬礼をしたまま相手が通り過ぎるのを待つ。

ふだんの言葉 ただいま

挨拶：ただ今戻りました。

返礼：お帰りなさい。お疲れさまでした。

ふだんの言葉 今日はこれで帰ります。

挨拶：お先に失礼いたします。

返礼：お疲れさまでした。

＋ひと言 その日仕事でお世話になった人には、帰り際の挨拶に「今日はありがとうございました」などとお礼のひと言を添える。

訪問 好印象の決め手は“最初“と“最後”

約束なしで人を訪ねるのは大変失礼なことです。ビジネスでの訪問は、事前にアポイントを申し込み、相手の許可をもらうのが常識。初めて訪問する相手には、たいていの場合、電話でアポイントを申し込みますが、この時の言葉づかいが重要。面識のない相手に好印象を持ってもらえるように、丁寧な挨拶と言葉づかいで、聞き取りやすいようにゆっくりと話すことが大切です。

始めよう! アポイント申し込み～辞去のキーワード

アポイント申し込み

お忙しいところ**恐れいります。**

重要度 ★★★

用件を切り出す前に相手を気づかうひと言を。

前日の確認

明日14時に**お伺いいたします。**

重要度 ★☆☆

約束の日時を確認。相手のアドレスを知っていればメールでもよい。

訪問先受付

企画部の○○様と14時に
お約束をいただいております。

重要度 ★★☆

取り次ぎを頼む際は、自分の社名と所属、名前を伝え、次に訪問相手との約束の時間を伝える。

挨拶面談

先日は**突然ご連絡申し上げて**
失礼いたしました。

重要度 ★★☆

挨拶を交わして本題に入る前に言っておきたいひと言。

辞去

本日は**お時間をいただきまして、**
ありがとうございました。

重要度 ★★★

別れ際の印象は、今後の関係発展に大きく影響するので、お礼の気持ちを丁寧に伝えること。

1行話し方教室 [解答] B：筆記用具をご持参なさってください。「持参」は謙譲表現

始めよう! 面識のない相手への「アポイントの敬語」

初めて訪問する相手の場合は、最低でも1週間前までにはアポイントの申し込みをして日時を決めておきます。

挨拶

初めてご連絡差し上げます。
私、文京商事の音羽と申します。

挨拶に続けて社名と自分の名前を述べる。
紹介者がいる場合は、そちらも必ず伝える。

御社の営業部の△△様にご紹介いただきました。

用件

お問い合わせいただいた商品について、
ご説明に伺いたいのですが。

連絡した経緯と訪問の目的を簡潔に伝える。

交渉

来週でしたらご都合はいかがでしょうか?

相手の都合を優先するが、期限を伝えたほうが相手も答えやすい。所要時間がわかれば、「30分ほど」などと伝えておく。

お礼

ありがとうございます。

日時が決まった時点でまずお礼の言葉を述べる。

復唱

3月21日14時に、企画部の
○○(相手の名前)様をお訪ねいたします。

復唱して日時と訪問相手を確認する。

挨拶

ありがとうございました。
それでは、失礼いたします。

最後に、もう一度お礼と挨拶の言葉を述べる。

ではないので使ってもよいが「ご〜くださる」という尊敬表現が好ましい。

来客応対 お客様を迎える時の言葉づかい

オフィスには、さまざまな人が訪ねてきます。大切な取引先、アポイントを取っている人、取っていない人、飛び込みセールス、別の部署を訪ねてきた人から取り次ぎを頼まれることもあるでしょう。そんな時、相手によって態度を変えるのではなく、社内の人以外はすべて“お客様”という気持ちで、親切で丁寧な対応を心がけましょう。

始めよう! シーン別基本フレーズ「来客応対の敬語」

アポイントの確認

× アポイントはおありですか?

○ お約束はいただいておりますでしょうか?

あり

× 江戸川さんでございますね。
山田部長がお待ちになっています。

○ 平成物産の江戸川様でいらっしゃいますね。
お待ちしておりました。

なし

例 担当者が不在の場合

× 担当者は外出中です。

○ 大変申し訳ございません。
ただ今担当者は席を外しております。
よろしければ、ご用件を伺えますか?

「〜ございます」は「ある」の丁寧語ですが、お客様に関して使うのは不適切。アポイントの有無に関係なく、お客様には「尊敬語」、自分や自社の人がすることには「謙譲語」を使うという敬語の大原則を忘れずに。

1行話し方教室 ふだんの生活でも言葉のマナーは大切。レストランでは、こちらが客

担当者を呼びにいく

× 今お呼びしますので、ちょっとお待ちしてください。

○ ただ今呼んで参りますので、少々お待ちくださいませ。

応接室へ案内する

× 部長はすぐ伺いますので、ここでお待ちいただきます。

○ 山田はまもなく参りますので、こちらでお待ちくださいませ。

「お呼びする」はお客様を呼び出す場合。自分が「担当者を呼びにいく」は「呼んで参ります」に。上司であってもお客様に対しては名前を呼び捨てでかまいません。強制の意を感じさせる「お待ちいただきます」も不適切です。

書類を受け取る

× 確かにいただきました。部長にお渡しさせていただきます。

○ 確かにお預かりいたします。営業部の山田あてでございますね。

書類は、自分が「もらった」のではなく、「預かった」ものです。「お渡しする」は、相手に「渡す」場合に使う謙譲語。しかも「～させていただく」との二重敬語になっています。正しい謙譲表現では「お渡しいたします」になりますが、それでは、渡す相手＝自社の人を立てる表現になってしまいます。どうしても「渡す」を使いたいなら「渡しておきます」「渡します」に。

であっても接客係を呼ぶ時は「すみません」よりも「お願いします」のほうが好印象。

紹介 ビジネスマンの必須ツール「紹介の敬語」

人間関係は「紹介」を通じて広まっていきます。ビジネスでも「紹介」は、相手の信頼を得るうえで重要な役割を果たします。社員一人ひとりの人脈が事業の成功につながり、新規事業を始めるにあたって取引先や人材を探す時は、「この人の紹介なら」と間に入る紹介者を一つの判断基準にできるからです。

個人的な付き合いであれば、言葉づかいが多少悪くても、おかしくても笑い話ですみますが、ビジネスではそうはいきません。「この人なら信頼できる」と相手に思ってもらうには、言葉づかいと話し方が大事。相手への敬意を伝える「紹介の敬語」は、ビジネスマンに不可欠な仕事の道具でもあるのです。

できると思わせる「紹介」の3大要素は「敬語の使い分け」「ウチ」「ソト」「順序」

自社と取引先の上司同士をそれぞれに紹介することがよくあります。そんな時に、敬語の使い方で困らないように、もう一度“基本”に立ち戻ってみましょう。

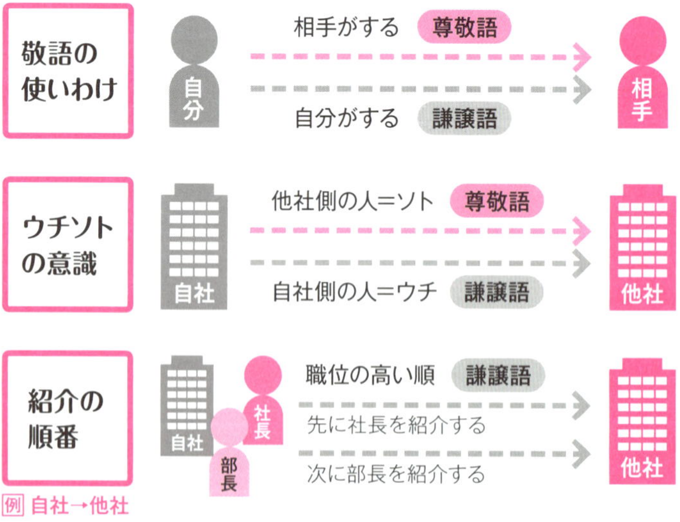

敬語の使いわけ
自分
相手がする 尊敬語
自分がする 謙譲語
相手
ウチソトの意識
自社
他社側の人＝ソト 尊敬語
自社側の人＝ウチ 謙譲語
他社
紹介の順番
自社
社長
部長
職位の高い順 謙譲語
先に社長を紹介する
次に部長を紹介する
他社
例 自社→他社

「紹介の順序」は、「5章 言葉づかいの作法／ビジネスの作法」(P147～152) で、事例とともに詳しく取りあげていますので、本章と併せて活用してください。

1行話し方教室 相手を名前で呼ぶ際は、その会話の中だけで用いるならば目上の人で

始めよう! “語尾”がポイント。「紹介の敬語」の法則

自分側のこと　語尾「です」→ **〜ございます**

私どもの部長の**山田でございます**。

相手側のこと　語尾「です」→ **〜いらっしゃいます**

こちら様が、平成物産の
江戸川様でいらっしゃいます。

「紹介」でよく使う言葉の丁寧な言い回しを覚えておきましょう。「〜ございます」「〜いらっしゃいます」を基本に、一つの文章の中で“敬意のレベル”を統一させて使えば困ることはまずありません。

基本	尊敬語	謙譲語	丁寧語
する	されます なさいます	いたします	します
いる	いらっしゃいます おいでになります	おります	います
言う	おっしゃいます	申します 申し上げます	言います
聞く	お聞きになります	伺います 拝聴いたします	聞きます
見る	ご覧になります	拝見いたします	見ます
行く	いらっしゃいます おいでになります	伺います 参ります	行きます
来る	いらっしゃいます おいでになります お見えになります	参ります 伺います	来ます
帰る	お帰りになります	失礼いたします	帰ります
もらう	お受け取りになります お納めください	いただきます 頂戴いたします	もらいます

も「〜様」よりも「〜さん」のほうが親近感を込めた言い回しになる。

始めよう! 相手を立てる「紹介」のキーワード

初対面の挨拶　会う→ お目にかかる

✕ 初めまして、音羽です。

○ 初めてお目にかかります。
文京商事の音羽太郎でございます。

礼儀
正しく!

初対面では「お目にかかる」と改まった表現でフルネームを名乗る。

上司を相手に紹介する　紹介する→ ご紹介いたす

✕ 部長の山田を紹介します。

○ 部長の山田をご紹介いたします。

役職のない人
の紹介にも!

相手との仕事上の関わりを具体的に伝えるとなおよい。

○ 私どもの部長の山田でございます。
渉外担当をしております。

相手を紹介する　協力してもらう→ お力添えいただく

✕ 江戸川様には、新商品開発に
協力してもらっています。

○ 江戸川様には、新商品の開発に
お力添えいただいております。

気づかいの
ひと言を

「お力添え」は「ご協力」よりも丁寧で相手を立てる言い回し。「いつもお世話になっている〜」など相手を気づかうひと言を必ず添えて。

受け答え　臨機応変が大切な「受け答えの敬語」

仕事の場には、それぞれの立場にふさわしい言い回しや言葉づかいがあります。時には、上司や先輩社員と友人同士のようにくだけた会話をすることもあるでしょう。でも、いざ仕事となれば言葉づかいを使い分けるのが社会人の常識です。場の空気をすばやく読み取って、状況にふさわしい対応をすることは、どんな職業であれ社会人として備えておきたい「技術」の一つです。

始めよう！　覚えておきたい基本「受け答えの敬語」

呼応

× 呼びましたか／何か用ですか？

○ はい、ただ今**参ります**。

呼ばれたら必ず返事をすること。

了解

× わかりました／了解です。

○ **かしこまり**ました／**承知**しました。

「了解です」「OKです」などフランクな表現はなるべく使わない。

断る

× 無理です／できません。

○ ～**いたしかねます**。

先に「申し訳ありませんが」とお詫びのひと言も。

頼む

× ～してください。

○ ～**いただけますか**？

「～してください」は威圧的な表現なので使わない。

せあっている" ようなもので、対面で話す時よりも感覚的な距離は、実はとても近い。

節度と親近感のバランスが難しい社内の人の呼び方、話し方

私達は、子どもの頃から周りの人間のしていることを見聞きして“目上の人には敬語を使うものだ”ということを学びます。そのおかげで、社会人になったばかりでも、取引先の人との会話にはそれほど困らない、という人は多いのではないでしょうか。

ところが、社内となると気が抜けてくだけた表現になってしまうことがよくあります。いくら友達のように打ち解けていても、そこは仕事の場、上司や先輩、同僚とそれぞれにふさわしい言葉づかいがあることを忘れずに。“言葉は個性”といっても、節度のない言葉づかい、話し方は、自分の評価を下げるだけだと心得ましょう。

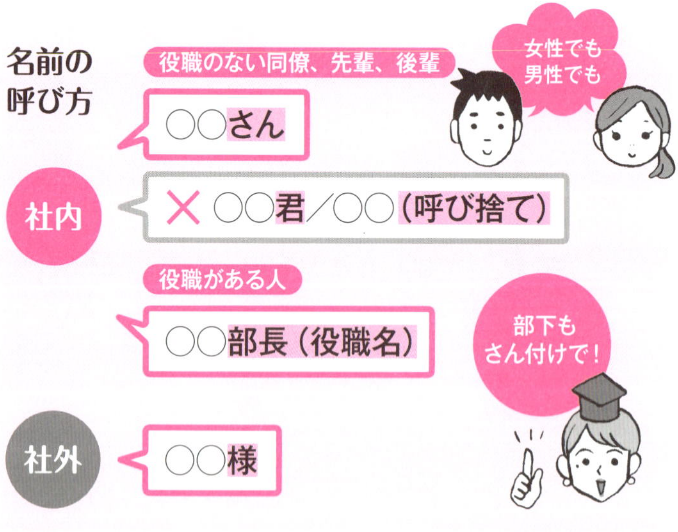
名前の呼び方
役職のない同僚、先輩、後輩
○○さん
女性でも男性でも
社内
× ○○君／○○（呼び捨て）
役職がある人
○○部長（役職名）
部下もさん付けで！
社外
○○様

同僚は、男女を問わず「さん付け」で呼びます。年下でも先輩にあたる人、後輩でも、社内で「○○君」と呼ぶのは失礼。中には上司も部下もお互いに「君付け」や「さん付け」で呼び合う会社もありますが、役職がある人には役職名で呼ぶのが原則です。

自分が役職についた時も、部下の名前を呼び捨てにしないで、同じ職場の仲間として敬意を込めて「さん付け」で呼びたいものです。

1行話し方教室　飲食店などで接客時に店員が使う特徴的な表現は、特定の場面でのみ

始めよう! シーン別、電話でよく使う「受け答えの敬語」

Case 1 取引先からの電話を受ける

相手：平成物産の江戸川と申します。

挨拶の基本!

× はい、江戸川様でございますね。

○ 江戸川様でいらっしゃいますね。いつもお世話になっております。

「～ございます」は「ある」の丁寧語。相手を“もの扱い”するような言い方なので、尊敬語の「いらっしゃる」を使う。取引先からの電話を受けた時には「いつもお世話に～」のひと言も忘れずに添えて。

Case 2 相手が指定した担当者が近くにいない

× 山田でございますね。
ちょっとお待ちください。
今呼んで参ります。

○ 申し訳ございません。
山田はただ今別室におります。
少々お待ちいただけますか?

お客様を電話口で待たせるのは失礼。取り次ぎに時間がかかってしまうようなら、具体的にどのくらいかかるのかを伝える。相手が待てないようであれば、こちらからかけ直すと伝え、念のために連絡先を聞いておく。

通用することから「バイト敬語」などと呼ばれる。

Case 3　外出中の上司への伝言を頼まれた

~と、山田部長にご伝言願えますか？　**相手**

×　かしこまりました。
山田に**申し上げておきます**。

○　~とのことで**よろしいでしょうか**。
かしこまりました。
山田に**申し伝えます**。

伝言を頼まれたら、必ずメモに控えること。たったひと言でも、復唱して内容が間違っていないかを相手に確認してもらう。

Case 4　約束の時間に遅れると連絡を受けた

20分ほど遅れると伝えていただけますか？　**相手**

×　かしこまりました。
ご到着が20分遅れると**お伝えします**。

○　かしこまりました。山田に**申し伝えます**。
ご連絡ありがとうございました。
では、**お待ちしております**。

この場合は、伝言内容の復唱は必要なし。確認するならば「遅れる」という言葉は使わずに「10時30分頃のご到着でございますね」という言い方に。相手への気づかいとして、連絡へのお礼の言葉もお忘れなく！

3章

丁寧な言い回し

言葉づかいの印象は、
表現を少し丁寧に整えるだけでも違ってくるもの。
相手にとって受け入れやすい話し方ができるということは、
人に対して気づかいをしているということでもあります。

丁寧な言い回し

基本は「です」と「ます」語尾まできちんと丁寧に話そう

礼儀正しく、配慮が行き届いた話し方

私は音羽花子です――この文章は、ここでの主題になる「丁寧な言い回し」の一例です。辞書によると「丁寧」とは、まず「細かいところまで気を配ること。注意深く入念にすること。また、そのさま」とあり、続いて「言動が礼儀正しく、配慮が行き届いていること」を指すとあります。「丁寧な言い回し」とは、この後者が示す“礼儀正しさ”と人への“配慮”をして話すということ。基本になるのは、語尾に「です／ます」「ございます」を付け、話の内容を明確にする表現＝言い回しです。

語尾を「です／ます」「ございます」にする表現は、文章のスタイルでは「敬体」と呼びます。「話し言葉」から「書き言葉」にも使われるようになったとされ、相手に話しかけるような調子があり、丁寧でやわらかな印象になります。「話し言葉」からきているだけあってなじみやすく、最近ではメールやブログを書く際、ほとんどの人が「敬体」を使っているようです。言葉づかいを改めたい場合も、まずは「です／ます」「ございます」で語尾まできちんと話すことから取り組むとよいでしょう。

1行話し方教室 「丁寧」は、古代中国の楽器に由来。一説に、その音が「丁寧」の発

言葉の印象は語尾で変わる

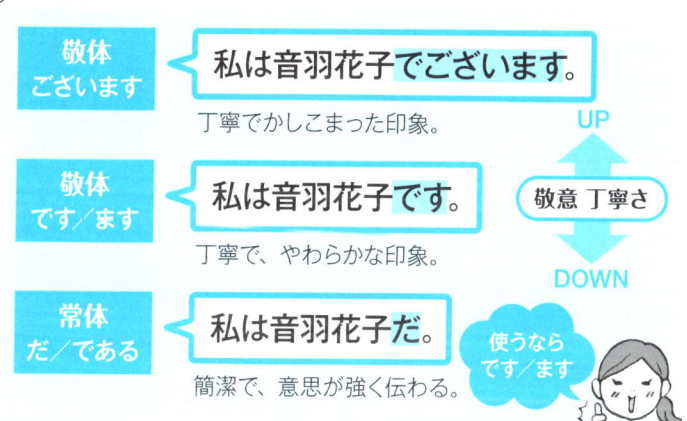

敬体 ございます　私は音羽花子でございます。
丁寧でかしこまった印象。

敬体 です／ます　私は音羽花子です。
丁寧で、やわらかな印象。

常体 だ／である　私は音羽花子だ。
簡潔で、意思が強く伝わる。

UP　敬意 丁寧さ　DOWN

使うなら です／ます

「丁寧な言い回し」とは、相手や場面、会話の内容にかかわらず、言葉そのものが丁寧な印象になる話し方です。敬語と敬体の組み合わせは、もっとも丁寧ですが、ふだんの言葉づかいとしては堅苦しい感じがします。敬語で語尾が常体の場合、丁寧さは感じられますが、いわゆる“お嬢様言葉”のように女性的で、話し手を選ぶ言葉づかいです。

語尾を常体や「だよね」といったくだけた表現にする話し方は、家族や仲間内でのおしゃべりにはよいけれど、ビジネスの場には不適切。言うまでもなく、語尾を抜く話し方は、社会人にはふさわしくありません。

語尾と表現の丁寧さの関係　例 食べる

語尾	敬語	聞く	答える	丁寧さ
敬体	使う	何を召し上がりますか？	イチゴをいただきます。	◎
	使わない	何を食べますか？	イチゴを食べます。	○
常体	使う	何を召し上がる？	イチゴをいただく。	○
	使わない	何を食べる？	イチゴを食べる。	△
なし	——	何？	イチゴ。	×

音に近いことから呼び名となり、念入りで手厚いことも意味するようになったとされる。

「丁寧な言い回し」実践講座

1.「ふだんの会話」から意識する

自分の話し方に気になるところがあって、それを直したいと思った時、真っ先に心がけてほしいのは家族や友人と交わす「ふだんの会話」を見直すことです。正しい言葉づかいを自分のものにするには、知識を蓄えるだけでなく、日常的に使って場数を踏むのが一番の近道。ふだん何気なく口にしている言葉を「丁寧な言い回し」にして、実際に声に出すか、録音したものを自分の耳に聞かせてみましょう。言葉のクセや語彙の少なさなどに気づくことは、正しい言葉づかいを身につけるためには敬語の知識以上に役立つものです。

Case 1　言葉尻に「さ」をつけるクセ

ふだんの言葉づかい

昨日さ、財布落としちゃってさ、ホントにさ、大変でしたよ。

丁寧な言い回し

昨日は、財布を落として大変でした。

Case 2　語彙や表現力が不足している

ふだんの言葉づかい

超いい感じで、超ピッタリです。

丁寧な言い回し

素敵ですね。よくお似合いです。

1行話し方教室　敬体の語尾「ます」は、上方の町方言葉が、明治維新後、教科書に

Case 3　言葉の前後を逆転させるクセ

ふだんの言葉づかい

いいですよね？
帰っても、今日はこれで。
終わったので、書類、ここですけど。
さっき頼まれた……部長に、です。

丁寧な言い回し

さきほど部長から頼まれた書類、
こちらに置きます。
本日はこれで失礼してよろしいですか？

Case 4　単語だけで話すクセ

ふだんの言葉づかい

食事？　すんだ。
コーヒー？
あとで。

丁寧な言い回し

食事ならすませました。コーヒーですか？
ありがとう、あとでいただきます。

相手の話し方が気になっても指摘する人はあまりいません。「丁寧な言い回し」を心がけると、言葉づかいのクセが自覚でき、言いたいことや気持ちがきちんと伝わる話し方ができるようになります。

採用されて標準語となり、口語体の基本として広く使われるようになった。

2. 人のことも、自分のことも丁寧に表現する

「丁寧な言い回し」は、言葉づかいそのものを丁寧な印象にする話し方です。ベースは敬語ですが、場面や内容によって敬意の度合いを控えめにします。

例 **天気予報　前線が通過する**

> 早朝から昼にかけて**前線**が**通過いたします**。

敬語は、「相手がすること＝尊敬語」、「自分がすること＝謙譲語」が基本です。ところが、上の「天気予報」は、立てる相手でも自分側のものでもない「前線」について「通過いたします」とへりくだっています。

これは、敬語5分類（詳細「2章 敬語の使い方」P35／表）の「謙譲語Ⅱ」を使った言い方。「謙譲語Ⅱ」は「丁重語」ともいい、自分や相手のことを丁寧に表現する場合に用います。「天気予報」のように直接に“敬意を向ける”相手はいないけれど、発言そのものを丁寧にしたい、それを聞く不特定多数の人に“敬意を向ける”場合に使う、「謙譲語Ⅰ」と比べると“控えめにへりくだる表現”です。

「謙譲語Ⅱ」の使い方の違い

「主語」をへりくだる	基本語	話全体を丁寧にする
明日は社内におります。	← いる＝おる →	家々が並んでおります。
私は出張で大阪に参ります。 ただ今、山田が参ります。	← 行く／来る＝参る →	雨が降って参りました。 暖かくなって参りました。
私どもの 山田が申しますには……、	← 言う＝申す →	世間はそう申しますが……、
私から報告いたします。	← する＝いたす →	電車が通過いたします。

「謙譲語Ⅰ」は、自分がへりくだって相手を立てる言い方。「謙譲語Ⅱ」は、Ⅰと同様の謙譲表現であるとともに、話す相手に関係なく会話そのものを丁寧に言い表す場合にも使います。実際の会話中にいちいち考える必要はありませんが、謙譲語は、自分をへりくだって表現するだけではないことを頭に入れておきましょう。

1行話し方教室　「です」は武家言葉に由来。「〜でござります」→「〜でございます」

3. 語尾まで話す。語尾を曖昧にしない

書き言葉 敬語の語尾は常体、敬体のどちらも使う。

私が参る。（常体）　私が参ります。（敬体）

話し言葉 敬語には必ず丁寧語の語尾を付ける。

私が参ります。

敬語で話す場合、相手に対して「私が参るよ」と語尾を常体にした言い方はしません。敬意を表すには、「私が参ります」のように語尾も「です／ます」「ございます」という丁寧語を使います。

とくにビジネスの場では、「語尾」まできちんと話す丁寧な対応が不可欠です。“語尾抜き”はいうまでもなく、語尾を曖昧にするのも厳禁。話の内容がわかりにくくなって誤解が生じやすくなるうえに、相手に対して失礼なもの言いは、本人だけでなく会社全体の信用に関わります。

× 前にも説明したような……。
解決したのではないかと……。

○ 以前にも
ご説明したかと思いますが、
すべて解決しております。

ふだんでも、“語尾抜き”や「～ちゃって」とくだけた言葉で語尾を濁すようなもの言いは好ましくありません。社内での会話や、商談の合間に雑談になった時も「です／ます」と丁寧に語尾まで話すように習慣づけましょう。

と謙譲の意の丁寧語となり、さらに簡略化されて「です」になった。

4. 美しい言葉、前向きな言葉で話す

「丁寧な言い回し」で話す習慣がつくと、敬語も自然と使いこなせるようになります。言葉づかいそのものが、誰に対してもやさしく丁寧になれば、尊敬語と謙譲語の使いどころがわかってくるものです。また、丁寧なもの言いには、汚い言葉や後ろ向きな言葉はふさわしくありません。うっかり乱暴な口を利くようなことや、マイナスのイメージがある言葉で人を不快にさせることがなくなり、周囲との人間関係がよくなっていくでしょう。

始めよう! “NG言葉”を「丁寧な言い回し」にしてみる

急いでいる時や、楽しい、悲しいなど感情表現をする際は、つい「ふだんの言葉」が出てしまうもの。仲間内ではそれが“ふつう”でも、社会人には“NG言葉”です。品位を疑われるようなもの言いに気をつけましょう。

Case 1 出社が遅れることを連絡する

NG言葉

遅刻しちゃいそうな雰囲気です。
さっきからずっと待ってるんですけど、
電車が遅れちゃってマジやばいっす。

丁寧な言い回し

申し訳ありませんが、
出社が少し遅くなりそうです。
電車の遅れで、ほかに手段が
思いあたらないので困りました。

相手が後輩でも、同じ会社の社員という立場は同じ。敬う気持ちを忘れてはいけません。また、自分が客の立場でも、ぞんざいな口調は避けたいもの。丁寧な言葉と態度で接することで、相手の対応も違ってきます。

Case 2　取引先と同行したレストランで注文する

NG言葉

ランチセット2つ。
(取引先に)食後に紅茶はいかがですか？
じゃ、紅茶2つで。食後に。急いでね。

丁寧な言い回し

ランチセットを2つお願いします。
(取引先に)食後に紅茶はいかがですか？
それでは、紅茶を2つお願いします。
食事が終わる頃に出してください。
時間があまりないので、
なるべく早くしていただけると助かります。

Case 3　上司のお弁当をほめる

NG言葉

部長のお弁当っておいしそうですね～。
私なんか料理がヘタだからこんなの無理。

丁寧な言い回し

部長のお弁当、おいしそうですね。
私もこんなふうに卵焼きを
上手に作れるようになりたいです。

A：部長は席を外していらっしゃいます。　B：部長は席を外しておられます。

5. 丁寧でも堅苦しくならない話し方のコツ

誰に対しても丁寧な言葉づかいを心がけるといっても、「～です」「ございます」といつも語尾が敬体では、少し息苦しく感じるかもしれません。驚いた時に「ああ、びっくりした！」と言ってしまうのは自然なこと。喜怒哀楽の「怒」は抑えて、「哀」は控えめに、「喜」「楽」は、自然に出てくる言葉に任せてもよいのではないでしょうか。

また、目の前にいる人に危険が迫っていれば「危ない！」と語尾なしで言ってしまうのは、反射神経のなせるワザ。ビジネスでも、緊急を要する場面では、「危ない！」と目上の人に声をかけるのは失礼に当たりません。むしろ「丁寧な言い回し」で話すことに慣れてきたら、時には語尾を常体にして親しみを表すのもよいでしょう。仕事の合間に雑談をするような時は、少しフランクな話し方をするとお互いに緊張感がほぐれてきます。言葉で、場面にふさわしい相手との距離感を演出する、というわけです。料理でいえば、ピリッと“スパイス”を効かせるようなもの。言葉づかいも、語尾を“スパイス”にして、丁寧でも堅苦しくない印象にしましょう。

始めよう！ 場面に合わせて語尾で緩急を付ける

取引先との商談　出迎え～雑談～会食

出迎え 相手が自分より年下でも、気心が知れた間柄でも、出迎えの挨拶は、改まった表現で敬意を表す。

くだけすぎ

江戸川さん、
雨降りなのに、すみません。

○ **江戸川様、本日は、**
雨の中をお越しいただき、
ありがとうございます。

1行話し方教室 ［解答］ A：部長は席を外していらっしゃいます。　Bは「いる」の

商談中 改まった表現は、時にまわりくどいと感じさせることも。話を進めたい時は、丁寧でも簡潔に述べることが大事。

堅苦しい

その件は、私がご説明申し上げます。

○ **その件は、私が説明いたします。**

雑談 「くだける」と「丁寧」のバランスが難しいのが雑談。基本は敬語で、相手を「さん付け」で呼ぶと親近感が出る。

堅苦しい

さようでございますか。
江戸川様のお嬢様は
ピアノがお上手でいらっしゃるんですね。

○ **そうですか。江戸川さんのお嬢さんは、**
ピアノがお上手なのですね。

会食中 飲食をともにする場面は相手と親しくなるよい機会。お互いにくつろげるように少しフランクな話し方を。

堅苦しい

みょうごにちから連休でございますね。
私は伊豆に参ります。

○ **あさってからの連休は伊豆に行きます。**

謙譲語「おる」を使っているので不適切。

6. 感情表現は豊かに、美しい言葉で

丁寧な言葉で話すということは、自分の気持ちを美しい言葉で丁寧に表現することでもあります。前項でも触れたように、喜怒哀楽の「喜」と「楽」は、大いに言葉に出して相手に伝えましょう。ただし、「超うれしい」「超楽しい」という言い方はいただけません。たとえ敬語が正しく使えても、幼稚な話し方をしては「きちんとした言葉づかいができない人」と思われるだけ。ここ一番という時に、美しい言葉で感情を表現できるように心がけておきましょう。

その“練習”としておすすめしたいのが「挨拶」と「お礼」です。とくに「お礼」は、「ありがとう」だけでなく、「何に対しての感謝か」をひと言添えることが大切。もし言いそびれたとしても、“うれしかった理由”を考え、自分自身が理解したことで、感情表現が豊かに、上手にできるようになっていきます。

始めよう! 「挨拶」と「お礼」で感情表現のトレーニング

Case 1 出勤途中で近所の人に会った

× (小さな声で) おはようございます……。

○ おはようございます。
今日はいいお天気ですね。

挨拶は
元気よく

Case 2 反対側から来る人が道を譲ってくれた

× どうも。

無言より
いいけど
お礼は
きちんと

○ 恐れ入ります。ありがとうございました。

1行話し方教室 尊敬表現として好ましくないのはどちら? A:お客様がお見えです。

Case 3　同僚が仕事を手伝ってくれた

× 手伝わせちゃってごめんなさい。

○ ありがとうございます。
◯◯さんが手伝ってくれたので
とっても助かりました。

また
手伝うよ！

Case 4　上司に出張のおみやげをもらった

× いつもの、ですか？ あとでいただきます。

○ いつもありがとうございます。
実は楽しみにしていたんです。
すぐ皆さんにも配りますね。

お礼の
言葉は？

Case 5　取引相手にごちそうになった

× せっかくだからごちそうになります。
ホントにいいんですかぁ。悪いなぁ。

○ ありがとうございます。思いがけず
ごちそうになってしまいました。次は、
ぜひ私に（食事代を）持たせてください。

B：お客様が来られました。

7. 誰に対しても言葉の“目線”に気をつける

“上から目線”でものを言う人は、好意的に見れば“飾らない人”かもしれません。自分の意見や考えを率直に言葉にできるというと聞こえはいいのですが、要するに自己中心的。何事も自分の尺度で考えてものを言うので、尊大で、人を不快にさせてしまいます。よくいう“口は悪いけれどいい人”は、きつい言葉の中にやさしさを感じさせるような人です。でも、そのやさしさに気づくのは親しくなったからこそ。“上から目線”でものを言う人は、自分にその気がなくても人を拒絶しているようなもので、良好な人間関係はなかなか築けません。

ビジネスで成功した人、ある分野で偉業を成し遂げた人に“上から目線”でものを言う人はいません。それは、常に自身を冷静に見つめ、自分を支えてくれる人に対する尊敬の気持ちを忘れないからです。自分のもの言いが“上から目線”になっているかを確かめるのは難しくても、人の立場になって考えることはできます。人から言われたら嫌なことは自分も人に対して言わない、これは社会人というよりも、まず人として忘れてはいけないことではないでしょうか。

言葉よりも“偉そうな態度”が問題
明日は我が身の「上から目線」

敬う人に差し出す ＝ 与える　謙譲語　あげる／差し上げる

～してあげようか ＝ ～して差し上げましょうか

おく（置く）＝ 放置する　「準備」「完了」の意も表す

～しておいて → ～の準備／完了する、の「命令形」

本来「～してあげる」は「～して差し上げる」なのですが、「与える」という意味で受け取ると押し付けがましく感じられるのか、「～しておいて」という命令形と同じく“上から目線”の言い方とされています。

そもそも本質は“偉そうな態度”が気に障るということ。“上から目線”は、相手の人格を非難する際の「常套句」にもなっています。自分が否定されたり、諭されたりした時、相手を批判する前に、自分の“目線”も考えてみましょう。相手を“格下”とする奢りがあれば、自分の言動も“上から目線”だと周囲に受け取られているかもしれません。

1行話し方教室　[解答] B：お客様が来られました。尊敬語がある場合は「れる／ら

始めよう！ “上から目線”危険ワード言い換え学習帖

〜してあげる

「大変そう」も相手次第で「そんなこともできないの？」と受け取られてしまいがち。

× 大変そうだけど、手伝ってあげようか。

○ かえって邪魔かもしれないけれど、私に手伝わせてください。

断られたら引き下がる。押し付けがましくならないように！

〜しておいて

依頼するのに「命令形」はNG。相手に判断を委ねる「疑問形」で。期限があれば必ず伝える。

× 戻ってくるまでに会議の準備しておいて！

○ 15時に戻ります。そのあと会議か……。○○さん、準備を任せていいですか？

ポイントは「任せる」。人は任されたことに責任感を持つもの。

常識的に考えて〜

社会人の禁句ワースト1。“主張”を“常識”にすり替えるのは、実は自信がない証拠。

× 私が思うに、この件は常識的に考えて〜

○ 私の考えを申し上げます。この件は〜

“将来をかける”くらいの意気込みで意見は堂々と述べるべし！

れる」を付加する尊敬表現は避けたほうがよい。

8. 会話を曇らせる“耳障りな言葉”は使わない

「なので」という言葉の使い方が、最近とても気になります。「なので」は、前後の言葉を結ぶもので「私はお腹がいっぱいなので、昼食はいりません」という使い方をします。ところが、「私はお腹がいっぱいです。なので、昼食はいりません」と言う人がいるのです。それどころか、別の人の話を受けて「なので、敬語は正しく使いたいですね」と、いきなり「なので」で話す人も。「なので」は、「しかし」「ところで」のような独立した接続詞ではありません。前の話を受けるのであれば「そのため」、話し言葉では「ですから」でよいでしょう。

なので　事柄AとBを結び、AによってBに至ったことを表す

例　私はお腹がいっぱいなので、昼食はいりません。

事柄A	私はお腹がいっぱい
＋	
なので	な（断定）　ので（理由、原因）
＋	
事柄B	昼食はいりません。

いつからかはわかりませんが、一般の人から言葉のプロであるはずのアナウンサーまで、「なので」を文頭にして話す人が増えているようです。その他にも、気になる言葉はいくつもあります。“わたし的には～”、“僕的には～”も大変気になります。「私としては」ときちんと言ってほしいです。

テレビやインターネットなどのメディアや仲間内で話題になる耳新しい言葉や流行語を使いたくなる気持ちはわかります。細かい言い回しに敏感になりすぎて、相手の話に耳を傾けなくなるのは大人げないという意見もあるでしょう。

それを否定するつもりはありませんが、話をする時は、相手の心に自分の気持ちを届けなくてはいけません。人間は、気になる言葉があると、そちらに注意がいってしまって肝心な内容を聞き取れなくなります。敬語を使い正しい言葉づかいを身につけるために、まず「丁寧な言い回し」を心がけてほしい理由も、そこにあるのです。自分は気にならなくても、誰かを不快にするかもしれない、会話を曇らせてしまう耳障りな言葉は、避けたほうが無難です。

1行話し方教室　青少年が日常的に用いる俗語「若者言葉」は、定着したものは「言語

始めよう！ “会話を曇らせる言葉” 言い換え練習帖

なくない？

自分にとっての是非は問題でなく、相手の答えで決まる同意や、意見を求める質問の言葉。

ここ、間違ってなくないですか？

部長：間違っていないですよ。

ああ、やっぱり！

部長：いや、間違っているかも……。

ああ、やっぱり！

○ この部分は、訂正が必要でしょうか？

質問は、相手が答えやすいようにできるだけ具体的かつ簡潔に。

〜て感じ？

「〜であると思う／であろう」。上がり調子で「かな」「かも」などが語尾に付くことが多い。

今日は、残業しないで早く帰りたいって感じ、かな？

○ ほかにご用がなければ、
本日は失礼してもよろしいでしょうか。

変化」、後年は同世代間での使用に限られるものはコーホート語（同世代語）に分類される。

9. 言葉だけでなく「心の敬語」も大切に

慇懃《いんぎん》無《ぶ》礼《れい》とは、表面的にはとても丁寧なのに、内心では相手を見下しているような態度やもの言いのことです。「言葉や態度が丁寧すぎてかえって失礼なこと」と解釈している人がいるようですが、それは少し違うような気がします。丁寧すぎて“堅苦しい”と感じても“失礼”だと思う人はいないでしょう。失礼だと感じたり、不愉快だったりするのは、相手の言葉や態度に丁寧さと裏腹の冷たさを感じるからではないでしょうか。

そもそもどのくらいが“度が過ぎて丁寧”なのかは、人によってさまざまです。礼儀にうるさいお年寄りは、座ったままでお客様に挨拶する若い人を「お行儀が悪い」と思うかもしれません。でも、その挨拶に心がこもっていて、相手を敬う気持ちが伝われば少なくとも不愉快にさせることはないはず。言葉づかいも、それと同じです。敬語は、相手を“敬う”言葉ですが、心が伴っていなければ相手を“敬遠する”言葉にもなってしまいます。

会話中の心模様を映し出す こんなしぐさに気をつけて

言葉は丁寧でも気持ちが伴っていないと、それは態度や、しぐさに表れます。相手に与える印象はもちろん、しぐさが示す心理から相手の気持ちを汲み取ることも会話のマナーの一つです。

会話中のしぐさが示す印象と心理

胸の前で腕を組む
印象　威圧的、敵意がある。
心理　相手より優位に立ちたい。

頭の後ろで腕を組む
印象　幼稚、尊大、不作法。
心理　退屈、相手を見下している。

頬杖をつく
印象　幼稚、自信がない。
心理　不安、退屈、集中できない。

後ろにのけぞる
印象　疎外感、無関心。
心理　退屈、嫌悪、不快。

前かがみになる
印象　好意的、もっと聞きたい。
心理　相手や話の内容に関心がある。

1行話し方教室「ありがとう」は神仏を称える言葉に由来。「有り難い＝滅多にないこ

始めよう! しぐさやふるまいで示す「心の敬語」

✕ よそ見をしながら話す

お疲れさまでーす

○ 相手の目を見て話す

視線を向けることは心を向けること。相手もこちらの視線を意識しています。

ありがとうございます

✕ 歩きながら挨拶する

1回1動作や、ゆったりした動作を心がけ、言葉と行動を一致させることで、敬意を示すことができます。

お世話になっております

○ ものの受け渡しは必ず両手を使う

しぐさには、その人の心が表れます。ものの受け渡しは、必ず両手を使って丁寧に行うよう習慣づけましょう。

お受け取りください

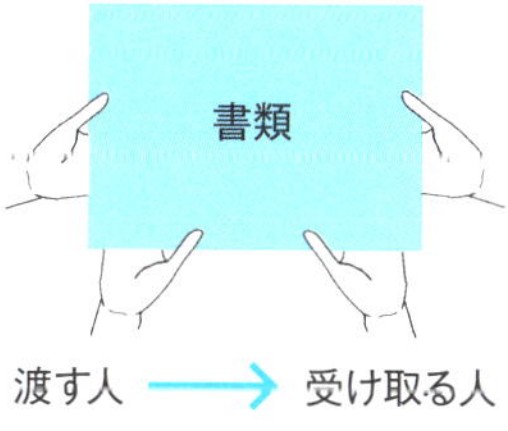
書類
渡す人
受け取る人

狭い場所では相手にひじをぶつけないように、書類の角を挟むように持ってスライドさせる。

こちらが資料です
スッ

会議中に隣の人に書類を渡す時は、両手を添えて受け渡します。

と」が感謝の意味に使われるようになったのは江戸元禄期頃から。

10. 職場に慣れた頃が言葉の“ゆるみ時”

新入社員のうちは、仕事を覚えることが何より先。周りの人は、よほど目に余ることでない限り、言葉づかいを咎《とが》め立てはしません。ただ、それは、自分達が経験を通して身につけたように、いつかはきちんとした言葉づかいができるようになるだろうと、大目に見ているだけです。職場の雰囲気に“慣れる”とは、上司と友達感覚で話すことではありません。自分の立場をわきまえて、相手とその場の状況にふさわしい言動が自然にできるようになることです。

気心が知れてくると、職場でもプライベートなことがよく話題になります。上司の祖母について話題になった時、身内の感覚で「部長のおばあちゃんは……」と言わないように。ビジネスとプライベートで言葉を使い分けようとしても、思わぬところでふだんのクセが出てしまうものです。気をつけましょう。

自分の身内は敬称なし。上司や同僚、社外の人の家族には敬称を付ける

家族についての「話し言葉」の敬語・敬称

	一般的な言い方	謙譲語（自分側）	尊敬語（相手側）
家	自宅 いえ ウチ	自宅	ご自宅 お宅
家族	家族 ウチ	家族 一家	ご家族 ご一家
両親	両親 ウチの親	父母 両親 ふた親	ご両親
父	お父さん パパ	父 父親	お父様 お父上
母	お母さん ママ	母 母親	お母様 お母上
妻	妻 女房 奥さん 嫁	妻 家内	奥様
夫	夫 主人 だんな	夫	ご主人 だんな様
祖父	おじいちゃん	祖父	おじい様
祖母	おばあちゃん	祖母	おばあ様
息子	息子 ウチの息子	息子 せがれ 長男	息子さん ご子息 ご長男
娘	娘 ウチの娘	娘 長女	娘さん お嬢様 ご長女

※手紙やメール、電報などの「書き言葉」では、人に対する敬語・敬称が異なり、上記以外の語句を使う場合があります。

1行話し方教室 「一応」は本来「一往」が正しく、「確認のために一度は行ってみる」

始めよう! つい口にする“ゆる言葉”の言い換え練習帖

超○○

飛び抜けて、の意の表現として年代を問わず定着。
連発する傾向があり、口グセになりやすい。

この写真、超きれい、超いいですね。

○ この写真、きれい……、とてもいいですね。

ビジネスシーンでは、正しい日本語で話す意識を忘れずに。

一応

正しくは「ひとまず／ひと通り」。悪い言葉ではないが、
意味を間違えて使っていることが多い。

部長、集計が一応終わりました。

○ 部長、集計が終わりました。

上司への報告は、余計な言葉を挟まずに事実をシンプルに伝えよう。

〜でいいです

言葉づかいはよくても、やる気のなさや
不満を感じさせてしまう表現の典型。

部長の言った通りでいいです。

○ 部長のご意見に賛成です。

しかたなく同意するような表現は、それが本意でなくとも相手を不愉快にさせるだけ。意思表示ははっきりと。

というような意味合いから、「念入り」ではなく「だいたい」の状況を表している。

おさらい「丁寧な言い回し」で会話する

明らかに俗っぽい、幼稚な印象ではないけれど、聞いていて「おかしい」と感じる言葉の使い方をしている人がいます。社会人同士が話す時、相手は“大人”と思えば「その使い方はおかしいですよ」と指摘はしません。本人は間違っているとは知らずにいることも多いので、そのまま使い続けると“きちんとした言葉づかいができない人”とみなされてしまいます。

Case 1 先輩社員に仕事を頼まれた

相手：今日中にこの資料をまとめてもらえる?

× 今ちょっと忙しくて。無理かなって。
部長に頼まれたことがあって。
なので、明日でもいいですか?

ここがNG! 語尾を抜く／「なので」の使い方

○ もう少し時間いただけますか?
作業中の仕事がもうすぐ終わるので、
明日の午後までならできると思います。

Case 2 会議中に書類を渡す

× こちらがデータになります。

○ こちらがデータです。

「〜になります」では、これから何か作るうえで「データになる」という意味にも受け取れる。受け取る側が誤解しやすい言葉は避けたほうが無難。

1行話し方教室 新社会人が言葉づかいでもっとも苦戦するのが「電話」。失敗談が多

始めよう！　つい口にする“ゆる言葉”の言い換え練習帖

超○○

飛び抜けて、の意の表現として年代を問わず定着。連発する傾向があり、口グセになりやすい。

この写真、超きれい、超いいですね。

○ この写真、きれい……、とてもいいですね。

ビジネスシーンでは、正しい日本語で話す意識を忘れずに。

一応

正しくは「ひとまず／ひと通り」。悪い言葉ではないが、意味を間違えて使っていることが多い。

部長、集計が一応終わりました。

○ 部長、集計が終わりました。

上司への報告は、余計な言葉を挟まずに事実をシンプルに伝えよう。

～でいいです

言葉づかいはよくても、やる気のなさや不満を感じさせてしまう表現の典型。

部長の言った通りでいいです。

○ 部長のご意見に賛成です。

しかたなく同意するような表現は、それが本意でなくとも相手を不愉快にさせるだけ。意思表示ははっきりと。

というような意味合いから、「念入り」ではなく「だいたい」の状況を表している。

おさらい 「丁寧な言い回し」で会話する

明らかに俗っぽい、幼稚な印象ではないけれど、聞いていて「おかしい」と感じる言葉の使い方をしている人がいます。社会人同士が話す時、相手は“大人”と思えば「その使い方はおかしいですよ」と指摘はしません。本人は間違っているとは知らずにいることも多いので、そのまま使い続けると“きちんとした言葉づかいができない人”とみなされてしまいます。

Case 1 先輩社員に仕事を頼まれた

今日中にこの資料をまとめてもらえる?　（相手）

× 今ちょっと**忙しくて**。無理**かなって**。
部長に頼まれたことが**あって**。
なので、明日でもいいですか?

ここがNG! 語尾を抜く／「なので」の使い方

○ もう少し**時間いただけますか**?
作業中の仕事がもうすぐ**終わるので**、
明日の午後までならできると思います。

Case 2 会議中に書類を渡す

× こちらがデータ**になります**。

○ こちらがデータ**です**。

「〜になります」では、これから何か作るうえで「データになる」という意味にも受け取れる。受け取る側が誤解しやすい言葉は避けたほうが無難。

1行話し方教室　新社会人が言葉づかいでもっとも苦戦するのが「電話」。失敗談が多

Case 3 同僚Bの妻からの電話を受ける

相手：Bはおりますでしょうか。

× Bさんならおられますよ。今代わります。

ここがNG! 「おる」は「いる」の謙譲語。この場合は尊敬語を使う

○ はい、いらっしゃいます。少々お待ちください。

Case 4 部長から仕事を頼まれた

相手：明日の会議の資料を作ってもらえるかな？

× はい、大丈夫です。

○ はい、かしこまりました。
会議は明日の15時からですね。

相手：出席者の人数分、コピーもお願いします。

× はい、大丈夫です。

○ 承知しました。
予備も入れて15部用意いたします。

ここがNG! 「大丈夫」だけの返事。意味としても不適切

く、名前を尋ねる際に「何様ですか」と聞いたという話もあながち冗談ではない。

丁寧な言い回し

これだけはクセにしたくない「言葉」と「ものの言い方」

“心地よさ”のない言葉はわかってもらえない

「大丈夫」「なので」「ありえない」、どれも誰でも使っているような“ふつうの言葉”です。「カード一括払いで大丈夫ですか？」という言い方も、「困ることはないですか」という気づかいなのかもしれません。

店の人に「大丈夫ですか」と聞かれて目くじらを立てたりはしませんが、それでも気になってしまうのは「心地よさ」が感じられないからです。言葉は、お互いに共通した意味でやりとりすることが大切です。「召し上がりますか？」と尋ねても、その言葉が「食べる」の尊敬語だと相手が知らなければ、敬意は伝わりません。

世代によって言葉の意味のとらえ方に違いはあるでしょう。だからといって“自分の言葉”がわかる、共通認識を持つ人とだけ話すわけにはいきません。“ふつうの言葉”は、誰でも自分と同じ意味で使っている、わかってもらえるだろうと考えがちです。それだけに本人は、相手が心地悪いと感じるとは思いもせずに“ふつう”に使っています。とくにビジネスシーンでは、共通認識のない言葉づかいは注意が必要です。相手に素っ気ない印象を与え、誤解を招きやすくなります。

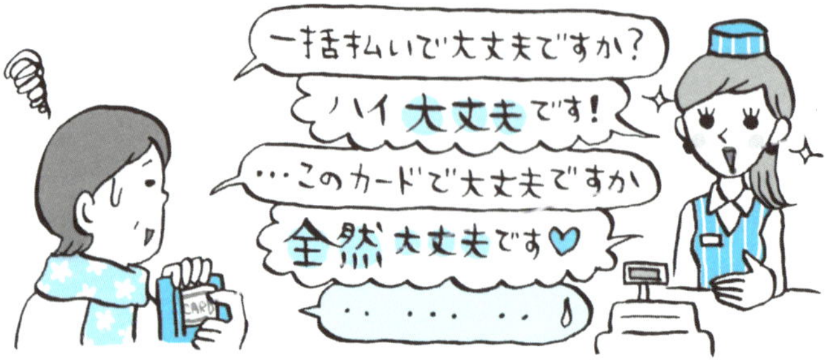

1行話し方教室　清少納言の『枕草子』には「ふと心おとりとかするものは（ふと幻

始めよう! できる人は口にしない“3D言葉”言い換え術

「だって」「でも」「どうせ」の3つは、社会人としては迂《う》闊《かつ》に使ってはいけない言葉。そのあとに、言い訳や相手を責めるような言葉が続くのは必至だからです。相手は、「だって」「でも」「どうせ」と聞いた途端に身構えてしまい、話をよい方向へ発展させるのが難しくなります。

だって

相手の反論を予想しつつ言い訳をする際に使われる。幼稚で、自信のなさを感じさせるので注意を。

だって、ダメっておっしゃったじゃないですか!

○ この件は厳しいとおっしゃっていましたが、いかがいたしましょうか?

でも

前言を否定する「であっても」の意。同義の「ですが」は、語気が強いため否定的な印象もより強くなる。

でも、この前と話が違いますよね?

○ 先日のお話では、来月納入と承っております。

どうせ

「どんなにしたところで」よい方向へ事が運ばないというあきらめと、なげやりな姿勢を感じさせる言葉。

どうせ納期に間に合わないと思いますよ。

○ 納期に間に合わせるには難しい状況ですが……。

滅を感じることは)」と、当時の若い男女の若者言葉を憂慮する記述がある。

大人が使うと“恥ずかしい言葉”は この方法で言い換える

反論や意見を述べる時は、最初と最後がポイントです。自分の考えを押し付けるような言葉は、自己中心的で大人が使うと恥ずかしいものの言い方。丁寧でやわらかな表現に変えれば、相手も話を受け入れやすくなるものです。

ありえない

まず何事も否定することから始める人がよく使う言葉。「それって」を伴うことが多い。

それってありえないですよ。

○ それは、別の考え方もできますよね?

あのですね

とくに電話で、次の言葉が出ない時の話し始めに「それで」と交互に連発してしまうことが多い。

あのですね、その件は、調査中で……。
それでですね、まだ結果待ちのようで。

○ その件は、ただ今調査を急いでいます。
結果がでしだい、お返事を差し上げる
ということでよろしいでしょうか?

「あのですね」は、方言としてある地域では呼びかけの言葉に使われます。ただし、取引先への電話、商談のようなビジネスの会話では、相手の誤解を招いてしまうので注意を。電話で話す時に、方言や口グセが気になる場合は、事前に話したいことをまとめておくとよいでしょう。要旨だけでもメモに書き取って、それを見ながら話すようにすれば、言葉に詰まることも少なくなります。

1行話し方教室 「私をわかってほしい」という気持ちから親しい人との会話で多用す

ですが

「だって」「でも」と同様に反論が続く。語尾は丁寧であっても文頭にくる「ですが」は顧客に対しては禁句の一つ。

ですが、そのご意見は納得できません。私が思うに……。

○ **おっしゃることはもっともです。よろしければ、私の考えも聞いていただけますか？**

～じゃないですかぁ

ソフトに表現したつもりが相手を軽く見た“断定”のもの言いになる。

この前も同じこと言ったじゃないですかぁ。

○ **前回と内容にとくに変更はないのですが……。**

半クエスチョン形

ほぼ1語ずつ尻上がりで発音して、相手にくり返し確認する話し方。

御社の新製品？　先月発売された？　当社も？　魅力が？　あります。

○ **御社が先月発売された新製品に、弊社も大変魅力を感じております。**

半クエスチョン形で話をされると、相手は、どこが質問なのかわからなくなります。聞きたいことははっきりと疑問形で質問し、自信を持って本題に入りましょう。

るうちに誰に対しても「半クエスチョン形」になってしまうので注意を。

始めよう! 目上の人と正しい言葉づかいで話す

目上の人と話す時は、丁寧な言葉を使おうと思うばかりに、いらないところに「お／ご」を付けてしまったり、「二重敬語」のように過剰な表現になりがちです。「社長、お座りになってください」「奥様はお元気でおられますか」などは、あとで考えれば間違いに気づく「奇妙な敬語」。また「頑張る」「励む」「応援する」などは、本来上の人から下の者にかける言葉で、尊敬語はありません。「社長のお車がいらっしゃいました」「お励みなさってください」というような「いらない敬語」をうっかり使わないように気をつけましょう。

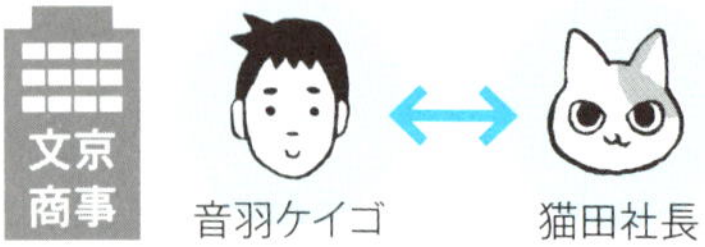

自社の社長と話す

Case 1 社長の車を待つ間

× お車が**いらっしゃる**まで、
お座りになってください。

相手の「もの」でも主語は「車」、尊敬語は使いません

社長自身が車を運転している場合は「お車でいらっしゃる／お越しになる」と尊敬語を使います。また「座る」は「お～になる」で尊敬語になりますが、「お座り」という言葉の響きに敬意が感じられないので「お掛けになる」と言い換えましょう。

○ まもなくお車が**参ります**ので、
お掛けになってお待ちいただけますか？

ありがとう。では、座らせてもらうよ。

Case 2 最近読んでいる本のこと

読書が趣味と聞いていますが……。

× はい、最近は森鷗外さんの小説を拝読しています。

「拝読する」のは社長が書いた本を読む場合

歴史上の人物や著名人について話す時は、敬語は使いません。

○ 私は、最近、森鷗外の小説を読んでおります。

Case 3 部長に伝言を頼まれる

～と山田部長に伝えてください。

○ 承知いたしました。そのように部長にお伝えいたします。

自社の社長には社外の人より親しみある表現で

「言う」の謙譲語＋伝える「申し伝えます」は、堅くかしこまったもの言いになるので、この場合は、社長と部長の双方への敬意を示す「お伝えいたします」が適切です。

付け」、「著書を読んだ」ことが話題なら「拝読した」と謙譲語を使う。

尊敬語のない言葉は 別の言葉で丁寧に言い換える

人に何かさせたい時は「～させる」「～してもらう」という表現をよく使います。「届ける」「説明する」といった使役の動詞には尊敬語がないので、丁寧に表現する際は、「～してもらう」を「～していただく」と言い換えるのが一般的です。「応援する」「励む／励ます」は、本来目上の人に向ける言葉ではないので、やはり尊敬語はありません。こうした言葉を目上の人に向ける際は、同じような意味で丁寧さと敬意を表せる別の言葉を選ぶ、表現を変えるといった配慮が必要です。

例 届けてもらう　語感がよい「渡す」を使う

× この書類を**お届けしていただけますか**？

○ この書類を**お渡しいただけますか**？

「書類を届ける」は自分がすること。相手が自分のところへ持ってくる場合は「届けてもらう」という言い方をします。

例 持っていってもらう　「ご持参」は尊敬表現ではない

× あちらには用意がないようなので
傘をご持参ください。

○ あちらには用意がないようなので
傘をお持ちください。

「持参」は、「持っていく」ことを表すひとつの言葉。「持っていってもらう」なら「お持ちください」が尊敬表現となる。

Case 2　最近読んでいる本のこと

読書が趣味と聞いていますが……。

✕ はい、最近は森鷗外さんの小説を拝読しています。

「拝読する」のは社長が書いた本を読む場合

歴史上の人物や著名人について話す時は、敬語は使いません。

○ 私は、最近、森鷗外の小説を読んでおります。

Case 3　部長に伝言を頼まれる

～と山田部長に伝えてください。

○ 承知いたしました。
そのように
部長にお伝えいたします。

自社の社長には社外の人より親しみある表現で

「言う」の謙譲語＋伝える「申し伝えます」は、堅くかしこまったもの言いになるので、この場合は、社長と部長の双方への敬意を示す「お伝えいたします」が適切です。

付け」、「著書を読んだ」ことが話題なら「拝読した」と謙譲語を使う。

尊敬語のない言葉は別の言葉で丁寧に言い換える

人に何かさせたい時は「～させる」「～してもらう」という表現をよく使います。「届ける」「説明する」といった使役の動詞には尊敬語がないので、丁寧に表現する際は、「～してもらう」を「～していただく」と言い換えるのが一般的です。「応援する」「励む／励ます」は、本来目上の人に向ける言葉ではないので、やはり尊敬語はありません。こうした言葉を目上の人に向ける際は、同じような意味で丁寧さと敬意を表せる別の言葉を選ぶ、表現を変えるといった配慮が必要です。

例 届けてもらう　語感がよい「渡す」を使う

× この書類を**お届けしていただけますか**？

○ この書類を**お渡しいただけますか**？

「書類を届ける」は自分がすること。相手が自分のところへ持ってくる場合は「届けてもらう」という言い方をします。

例 持っていってもらう　「ご持参」は尊敬表現ではない

× あちらには用意がないようなので
傘をご持参ください。

○ あちらには用意がないようなので
傘をお持ちください。

「持参」は、「持っていく」ことを表すひとつの言葉。「持っていってもらう」なら「お持ちください」が尊敬表現となる。

1行話し方教室　付け足し型の尊敬語、謙譲語は頭の「お／ご」を取るとバランスが

例 見てくれる　「くれる」の尊敬語「くださる」を使う

× 企画書をご覧になったでしょうか？

○ 企画書をご覧くださいましたでしょうか？

「くれる」の尊敬語は「くださる」。「もらう」の謙譲語「いただく」を使ってもよいが、「くださる」は、相手が「自発的に見る」の意が強くなる。

例 かまいません　「気にしない」の意味では使わない

× 私はどちらでもかまいませんので、
社長にお任せします。

○ 私は社長のご意向に従います。

支障がない、問題がないという意味の「かまわない」の丁寧表現が「かまいません」。自分主体の意味があるので、目上の人へは他の言葉に言い換える。

例 どうかいたしましたか？　「いたす」は謙譲語

× 顔色がお悪いようですが、
どうかいたしましたか？

○ 顔色が優れませんが、
どうかなさいましたか？

「いたす」は「する」の謙譲語。自分が「する」ことに使う言葉なので、人に聞く時は「どうかなさいましたか？」、あるいは「どうかされましたか？」。

岩下宣子の

心を伝える言葉のコラム

「申し訳ございません」と「とんでもございません」

どちらも「誤用」とされつつ広く使われている言葉です。

「申し訳ございません」は「申し訳ありません」とともにお詫びの言葉としてよく使われます。誤用とされた理由は、「申し訳ない」までが一つの言葉で、語尾に「ございません」「ありません」という打ち消しの言葉を使うのはおかしい、丁寧に言うのであれば「申し訳ないことでございます」が正しいというわけです。「とんでもございません」もこれに同じ。「とんでもない」までが一つの言葉ですから、丁寧に言うのであれば「とんでもないことでございます」となります。

ところが、言い訳や、弁解を意味する「申し訳」という言葉があります。「申し訳」が「ない」を丁寧な言葉にすると「申し訳ございません」でも間違ってはいないのです。

一方「とんでもない」は「途（と）でもない」が変化した語。「途」は、道や、道程の意味から、手段や物事の道理の意味にも用いられるようになりました。「申し訳」と異なり「とんでもない」は「とんでも」で区切ることはできません。その「とんでもございません」について、2007年2月、文化庁文化審議会は、文部科学大臣に答申した「敬語の指針」（第三章　敬語の具体的な使い方）の中で容認する方針を打ち出しました。以下はその解説です。

「相手からの褒めや賞賛などを軽く打ち消すときの表現であり、現在では、こうした状況で使うことは問題がないと考えられる」

「恐れ多い、恐縮の至り」という気持ちで使うのですから、たしかに意味としての問題はありません。ただ、誤用であることは変わらず、「お褒めいただいて光栄です」「私にはもったいないお言葉です」などほかに言いようがたくさんあります。なにより言葉の成り立ちは、日本語の歴史です。「とんでもないことでございます」、または「とんでもないことです」という正しく丁寧な言い回しを忘れてはいけません。

4章

コミュニケーションの言葉

人と人との心の交流は言葉から始まります。
またビジネスマンにとって言葉は大切な仕事道具の一つ。
「わかってくれない」と嘆くより
「わかってもらえる」言葉の使い方を身につけましょう。

コミュニケーションの言葉

コミュニケーション力が高まる話し方を身につけよう

人と人との交流は言葉から始まる

知らない者同士が、言葉を交わしたことをきっかけに一生のお付き合いになることは少なくありません。誰かがかけてくれたひと言でほっと心が和んだり、逆に自分は意図していなくても、ほんの少しの言い方の違いで、相手に対する伝わり方が大きく違ってしまうこともあります。

ひと言多かったり、言葉足らずだったり、また同じ言葉でも、受け取る側によって意味が違ってしまうのはよくあることです。ただ、そうした言葉の行き違いでこじれた人間関係をほどくにも、私たちは“言葉”を使って話し合います。

言葉は不思議です。話し上手であれば誰からも好かれるとは限りません。わけてもビジネスの成功に欠かせない「説得力」は、話し方の上手下手や、口数の多い少ないが問題ではありません。互いに信頼できる関係であってこそ、言葉に「説得力」が生まれます。まずは人間関係、次に話し方、その話し方に重要なのは、話の中身と人が心地よく受け入れてくれる言葉を使う“練習”です。

1行話し方教室 高圧的な人物を指す俗語「タカビー」は、将棋用語で、飛車を使う

「クッション言葉」でやわらかに

ビジネスでの会話や初対面の人と話す場合、ストレートに用件を切り出すとビジネスライクな冷たい印象になりがちです。そこで、「恐れ入りますが」「よろしければ」といったやわらかな印象の言葉を、会話のはじめに使います。

お客様を待たせるような時には「恐れ入りますが」、名前を尋ねる際は「失礼ですが」など、と前置きに使って印象をやわらげる言葉を「クッション言葉」と呼びます。接客、電話応対などビジネスシーンでの会話は、はじめに「クッション言葉」を付けるのが大人のマナーだと覚えておきましょう。

例 来客に名前を尋ねる

前置き＝クッション言葉

失礼ですが／恐れ入りますが　など

＋

用件 お名前を伺ってもよろしいでしょうか？

＝

○ 失礼ですが、
お名前を伺ってもよろしいでしょうか？

短い言葉だからこそ心をこめて言いましょう

「クッション言葉」も使い方次第です。気持ちがこもらずにただマニュアル通りとしか思えない言い方では、裏目に出てしまうことも知っておかなければなりません。

!

「クッション言葉」は状況に合わせて上にのせる、上下で挟む

会話をやわらかくする「クッション言葉」は、会話のはじめに使うのが基本。お詫びや注意をする時は、下にももう一つ“クッション”をあてて相手への気づかいを丁寧に表しましょう。

クッション言葉
お願い 尋ねる
断る 詫びる
注意 警告
お詫びや注意は
下にも“クッション”
をあてる
クッション言葉
クッションの
中身は？
気づかい
真心

「クッション言葉」としてよく使う言い回し

	クッション言葉	下に付けるクッション言葉
お願い・尋ねる	失礼ですが、 恐れ入りますが、 大変恐縮でございますが、 お手数ですが、 差し支えなければ、 申し訳ございませんが、 よろしければ、	
注意・警告	恐れ入りますが、 お手数ですが、	ご遠慮願えませんでしょうか。 ご容赦ください。
断る・詫びる	せっかくでございますが、 大変残念でございますが、 失礼ですが、 失礼とは存じますが、 身に余るお言葉ですが、 申し訳ございませんが、	～いたしかねます。 ～できかねます。 ご容赦ください。 お役に立てなくて 申し訳ございません。

「クッション言葉」に、これといった決まりはありませんが、よく使う言い回しをいくつか覚えておくとよいでしょう。否定的な言葉や、言いにくい内容でも、相手に失礼にならずに伝えたい時に役に立ちます。相手や状況によってふさわしい言葉を選んで使えば、お願いやお断り、反対意見を言う時も、相手に対しての誠意が伝わって印象がよくなるはずです。

1行話し方教室　言葉の使い方が不適切なのはどちら？　A：お伝えください。　B：

クッション言葉の使い方〈基本編〉

“使わない”と“使う”の印象を比べる

相手

山田部長のご依頼で
商品のサンプルを送りたいのですが

使わない

それでは山田あてにお送りください。

使う

○ お手数をおかけしますが、
山田あてにお送りいただけますか？

クッション言葉を使わない例は、言葉は丁寧ですが、素っ気ない印象になります。

前置きにクッション言葉の「お手数をおかけしますが」を付けるだけでも、相手が受ける印象はまったく違うもの。さらに、語尾を「いただけますか？」と判断を相手にゆだねる形にすることで、相手の都合を気づかう気持ちを伝えます。

「すみません」は「クッション言葉」に使わない

× すみませんが、山田あてに
お送りいただけますでしょうか？

誤解を招きやすい言葉は使わない

「すみません」は、「お願いします」「ありがとう」「ごめんなさい」といったさまざまな使い方をします。こうした誤解を招きやすい言葉は、ビジネスの場で「クッション言葉」として使うにはふさわしくありません。

クッション言葉の使い方〈応用編〉

お願い 期日に届けてもらいたい

× サンプルを届けていただきたいのですが、明日の昼頃に間に合いますか？

○ ご面倒をおかけしますが、明日の昼までにお届け願えませんでしょうか？

お願い 取引先の人に届けてもらう

○ お使い立てして申し訳ございませんが、私どもにお越しの際に営業部にお立ち寄りいただけますか？

お願いするのに自分の希望だけを言うのはNG。相手をわずらわせる時に「お使い立てして申し訳ございません」は必須の言葉です。

尋ねる 名前を告げずに電話を切ろうとする相手に

○ お客様、差し支えなければ、お名前を伺ってもよろしいでしょうか？

担当者が不在の時にクレームの電話がかかってきたら要注意。相手が名乗らない場合は、まず自分が名乗ってから必ず相手の名前を聞いておくこと。

1行話し方教室 ［解答］ B：お申し伝えください。「申す」は「自分が伝える」を表す

断る　交渉が成立しなかった時に

○ ご期待に添えず大変残念でございますが、
今回のお話は条件が合わず、
お断りせざるを得ない状況です。

こちらに非がなくてもまずはお詫びの気持ちを伝えること。「お断りします」「できません」といった否定的な表現は使わない。「クッション言葉」を使って、今後の関係発展につながる“前向き”な印象の言い回しに。

注意する　禁煙スペースで喫煙している来客に

× こちらは禁煙エリアになっております。
おタバコは喫煙室でお願いできますか？

○ 恐れ入りますが、
おタバコはあちらの喫煙室にて
お願いできますでしょうか？

立ち去る時に

○ ご理解いただきまして、
ありがとうございます。

きつい口調や、言葉を避けることはもちろん、「ここは○○禁止です」といったストレートな言い方は気持ちを逆なでするようなもの。注意は、相手にバツの悪い気持ちにさせない言葉を選び、「クッション言葉」を上下に挟んで、最後に必ず感謝のひと言を。

言葉。相手に伝言を頼む時には使わない。

コミュニケーションの言葉

接遇・訪問・電話応対の人から好かれる話し方とマナー

丁寧な見送りが好印象をもたらします

チャイムを鳴らしてもなかなか出てこなかったり、玄関を出た途端に灯りもすぐに消してしまうような見送り方をされたら、どう思いますか？　個人的な知り合いを訪ねた場合でも、あまりよい気持ちはしないはずです。それがビジネスの相手であればなおさらのこと。にこやかな笑顔で別れの挨拶をした相手が、くるっと背を向けて何事もなかったかのように仕事に戻る姿を見て、よい心象は持ちにくいもの。

出迎えからお帰りになるまで丁寧に、真心を込めて接するのが、お客様を迎える側の礼儀です。とくに出迎えと見送りでは、見送りをより丁寧にするのがポイント。来た時は最寄りの駅まで出迎えてくれたけれども見送りは玄関先だった場合と、出迎えは玄関先だったけれども帰りは最寄り駅で電車が走りだすまで見送ってくれた場合を比べたら、その家を訪ねた印象は、後者がはるかに上です。

これは、ビジネスの場でも同じと思ってください。応接室を出たところよりエレベーターホール、さらに玄関の車寄せでお見送りするほうがより丁寧な印象になります。

1行話し方教室　「当社」には“対等な位置付け”というニュアンスがあり、取引先

実践講座　接遇・訪問・電話応対

接遇　来客を迎える時の基本マナー

お客様を迎える

いらっしゃいませ。

自分への来客ではないからと“見て見ぬふり”はマナー違反。デスクで仕事中でも立ち上がり、姿勢を正して「いらっしゃいませ」と笑顔で応対する。

お客様を迎える　自分や上司への来客

いらっしゃいませ。お待ちしておりました。

事前にわかっている場合は「お待ちしておりました」のひと言を添える。

お客様を迎える　担当者が席を外している時

いらっしゃいませ。お待ちしておりました。
誠に申し訳ございませんが、
山田はまもなく戻りますので、
中でお掛けになってお待ちいただけますか？

自分への来客は、上司や同僚との打ち合わせ中でもひと言断ってから素早く応対しましょう。先約が長引いたり、会議中などでやむを得ず来客を待たせる場合も、中座して本人がお詫びをするか、代理の人にその旨を伝えてもらいます。

接遇　来客を案内する時の基本マナー

最初に応接室、会議室など行き先を告げ、お客様の2～3歩斜め前を歩いて案内します。常に相手の様子に気を配ることが大事。お客様と歩調を合わせ、手のひらで行き先を指し示し、お客様の2～3歩斜め前を歩きましょう。

案内　お客様を誘導する

3階の応接室へご案内いたします。
どうぞこちらへ。

案内中は自社の上役に会っても道は譲らない

たとえ社長や重役でも道を譲ってしまうと、後ろを歩くお客様にも避けさせてしまうことになるので失礼です。自分の上司や、お客様と関わりのある人物の場合は、状況に応じてお客様に紹介しましょう。

案内　注意を促したい、申し出をする

段差がありますので、
お足元にお気をつけください。

よろしければ、
コートをお預かりいたしましょうか？

注意や申し出は、来客の様子を見てタイミングよく！

1行話し方教室　「自社」「わが社」は「当社」と同様に謙遜の意は含まない。社内では、

案内のマナー　エレベーターの乗り降り

乗る

案内役が先に乗って扉を押さえ、来客に乗ってもらう

お先に失礼いたします。

すでに人が乗っていた場合は、エレベーターホール側のボタンを押し、来客を先に乗せ、自分は最後に乗り込む。

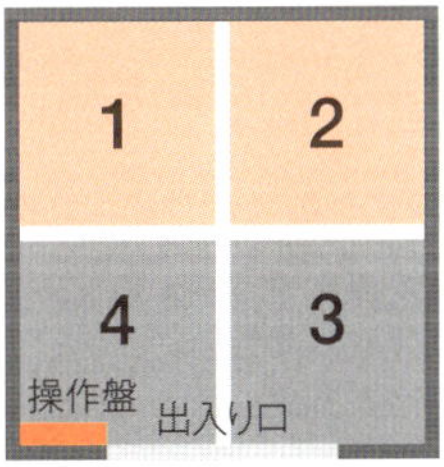

エレベーター内の席次

上座　奥側で1、2の順に席次が高い。来客がなるべく上座になるように誘導する。

下座　操作盤に近い場所。案内役は末席4に立つ。

降りる

扉を押さえて来客を先に降ろす

どうぞ。応接室は左側でございます。

目的の階に着いて降りる時は、来客が先。「どうぞ」と声をかけ、来客が戸惑わないように進行方向を告げる。

エレベーター内の下座に目上の人がいた時

代わっていただいてもよろしいですか?

来客時だけでなく、ふだんでも目上の人や上司が下座に立っていたら、声をかけて自分が下座になるように場所を移動するとスマート。

「わが社」が使われることが多い。

案内のマナー　階段を使う時

心づかい
ありがとう

基本は、上る時は来客が先、下りる時は自分が先に。

この階段を上りきったところでございます。

目線が来客より高くならないように、上る時は、来客と同じ段か、1段下くらいを歩く。下りる時は案内役が先になり、声をかけながら案内すると親切。横に並ぶ時は、来客が手すり側になるようにする。

案内　応接室に入る時

ドアを開ける前に必ずノックをして確認する

ノックする　**失礼いたします。**

来客を通す　**どうぞお入りください。**

きめ細かい
配慮が大事

引いて開けるドア

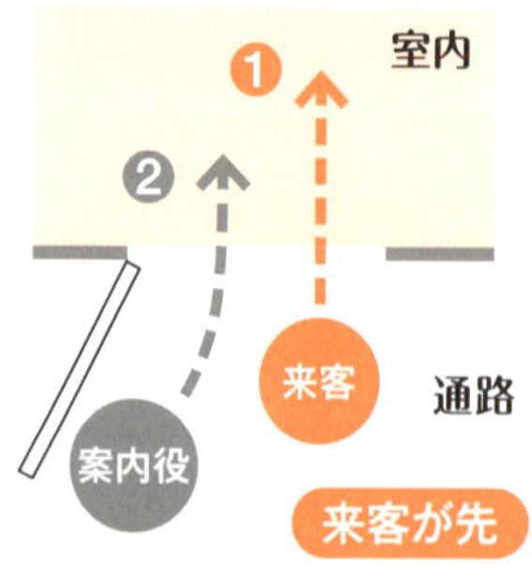

室内
1
2
来客
案内役
通路
来客が先

来客のほうに体を向けてドアを開き、来客を先に通す。

押して開けるドア

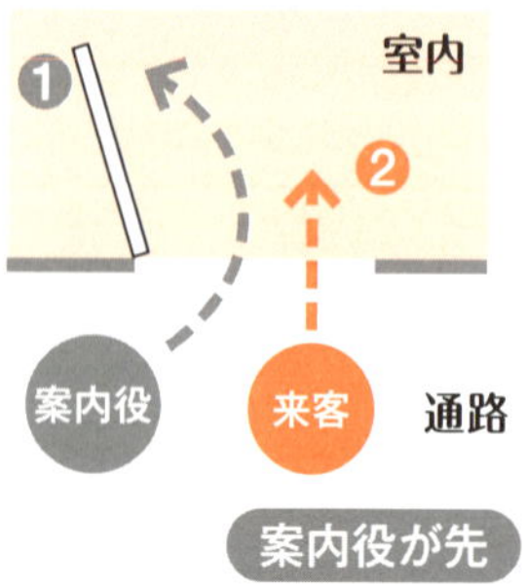

室内
1
2
案内役
来客
通路
案内役が先

案内役が先に入り、体の向きを変えて来客を中に招き入れる。

　1行話し方教室　「自社」は、社内資料などで他社との比較に言及する際「自社製品

案内　来客に席をすすめる

席次は
大切！

上座を指し示しながら席をすすめる。

> こちらにお掛けください。

応接室の席次　基本例　上座＝来客側　下座＝自社側

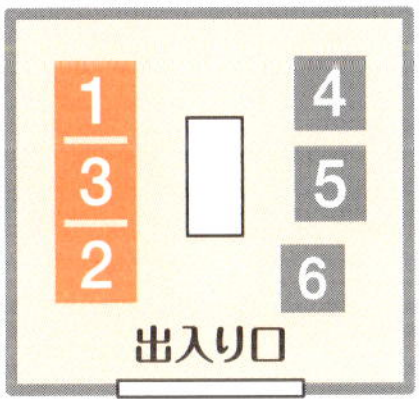

1
3
2
4
5
6
出入り口

- 出入り口から遠く落ち着きのある場所が「上座」
- 「下座」のうちで出入り口にもっとも近い席が「末席」
- 3人掛けのソファーは原則的に真ん中が「末席」。状況により、来客側は入口側が「末席」になることもある。

お客様への
気配りです

案内　応接室から退出する時

終始
笑顔で

> 失礼いたします。

来客と担当者が話している場合は、声はかけず一礼して退出する。担当者がまだ部屋にいない場合は、「〇〇（担当者）はまもなく参りますので、少しお待ちくださいませ」とひと声かける。

案内　来客にトイレの場所を聞かれた時

> お手洗いは通路の突き当たりにございます。
> 応接室をお出になって
> 右手にお進みください。

の～」というように、主に書き言葉として使われる。

接遇 来客を見送る時の基本マナー

来客への応対の締めくくりとなるのが見送りです。その日の来訪の成果にかかわらず今後の関係発展につなげるため、来客に快く帰っていただけるように礼を尽くして丁寧な見送りを心がけましょう。

見送る 退室する時

来客が立ち上がってから自分も立ち上がる

お忘れ物はありませんか?

コートや荷物を預かっている場合は、それも忘れずに手渡す。

退室のマナー 退室は来客が先

○○(見送りをする場所)まで私も参ります。

来客が「ここで結構です」と申し出た場合

こちらで失礼いたします。

ドアを開けて、来客が室外に出るまで押さえておく。エレベーターホール、玄関など見送りをする場所まで来客を誘導する。

「座る」も「立つ」もお客様が先

用件を切り上げるのは「お客様」です。先に立ち上がって帰りを急かすような行動は慎みましょう。お客様が帰り支度を終えて立ち上がってから、自分も席を立つのがマナーです。

1行話し方教室 自社を表す言葉のうち「弊社」「小社」は謙譲語。「当社」は、社外の

見送る　自分への来客を見送る

**本日はありがとうございました。
今後ともよろしくお願いいたします。**

挨拶を交わし、来客の姿が見えなくなるまで、エレベーター前で見送る際は扉が閉まりきるまで、お辞儀を続ける。
次の来訪予定が決まっている場合は、確認も兼ねて「○日にいらっしゃるのをお待ちしております」などのひと言を添えても。

自分の部署を訪ねた来客が帰る時

仕事の手を休めて、できれば立ち上がる

ありがとうございました。

来客の滞在中に雨が降りだした場合は

**雨が降って参りましたが、
傘はお持ちでいらっしゃいますか？**

自分への来客でなくてもきちんとお見送りを

部署で用件を終えて帰る時、来客が近くを通ったら、仕事の手を休めて、できれば立ち上がって挨拶とお辞儀をします。電話中や、自分がいる場所から離れている場合でも、来客を見かけたら会釈をするなど、たとえ相手が気づかなくても挨拶は欠かさずに！

人に使っても問題はないが謙譲語ではない。「私ども」という丁寧語もある。

訪問 他社を訪問する時の基本マナー

たとえば、取引先との約束が午前10時だとします。これは、会議や打ち合わせが「10時スタート」という意味で、10時に相手の会社に着けばよいということではありません。訪問先が受付を通して取り次ぐ場合や、入館証をもらう手続きが必要な場合はなおさら。約束の5分前には目的の用件に入る準備ができているように、時間に余裕を持つことが大切です。

訪問のマナー 受付に向かう前のチェック項目

- □ コートは脱いで、中表（裏が外側）に二つ折りにして片手で持つ。
- □ 手袋、帽子は脱いでカバンに入れる。
- □ ネクタイのゆるみなど身だしなみを整える。
- □ 名刺、資料等の必要なものがそろっているかを確認。

訪問 受付での挨拶

挨拶
失礼いたします／
お忙しいところをお邪魔いたします。

名乗る
○○（自社名）の△△と申します。

受付で訪問相手をいきなり“名指し”はNG！

受付でいきなり「○○さんはいらっしゃいますか」と尋ねるのは失礼です。対面式でも専用電話でも、「失礼いたします」とひと声かけてから社名と自分の名前を名乗りましょう。

訪問　取り次ぎを頼む

アポイントがある場合

> **10時のお約束**で伺いました。
> 営業部の□□様に
> お取り次ぎをお願いいたします。

アポイントがない場合

> お約束はいただいていないのですが、
> 営業部の○○様にお取り次ぎ願えますか？
> **転任のご挨拶**に伺ったとお伝えください。

アポイントなしで面識のない人への訪問はしないのが原則。既知の間柄でも、約束をしていない場合は、受付で訪問の理由を手短に告げたうえで取り次ぎを頼む。もし断られても、受付の担当者を責めたり、執拗に食い下がったりせず、お礼を述べて引き上げること。

訪問　受付や案内者へのお礼

受付を離れる前に

受付係へ

> お手数をおかけいたしました。
> ありがとうございます。

面会場所へ案内してもらう時に

案内者へ

> ありがとうございます。
> よろしくお願いいたします。

訪問　面会相手との挨拶

初めての訪問

訪問した側が先　原則として訪問した側から挨拶をする

挨拶の言葉 → **お辞儀** → **名刺を渡す**

↑

相手側が後　相手側が招いた場合は相手側が先に挨拶をする

まったくの初対面

> **初めてお目にかかります。**
> **○○社の△△と申します。**

事前に電話やメールでのやりとりがある

> **○○社の△△でございます。**
> **電話（メール）では**
> **何度かお世話になっておりますが、**
> **本日はお目にかかる機会をいただき、**
> **ありがとうございます。**

紹介者がいる場合

> **○○社の△△と申します。**
> **御社の□□（紹介者の名前）様には**
> **大変お世話になっております。**
> **本日はお時間をいただき、**
> **ありがとうございます。**

※名刺交換、複数の人を紹介する際のマナーについては「5章 言葉づかいの作法／言葉の作法講座〈ビジネス編〉」（P147～152）をご覧ください。

　1行話し方教室　［解答］A：お名前をお申し出ください。相手に「申し出る＝言って

訪問　面会相手との挨拶

すでに付き合いがある

いつもお世話になっております。
本日はお時間を頂戴いたしましてありがとうございます。

前回会ってから時間がたっている

＋ひと言

ご無沙汰しております。

訪問　用件を終えて辞去する時

話を切り上げる（面会の終了）

そろそろ、失礼いたします。

原則として面会の終了は訪問者側が切り出すのがマナー。話を続けたい時は必ず相手に確認する。

面会場所を出たところで

こちらで失礼いたします。
本日はありがとうございました。

初めての訪問で

本日はありがとうございました。
今後とも、お付き合いのほどよろしくお願いします。

電話応対 受ける／かける電話の基本マナー

電話を受ける 電話を受ける時の基本マナー

- メモを準備して、相手の名前、伝言などを書きとめる。
- 3コール以内には出る。
- 3コールを過ぎた場合は「お待たせいたしました」と前置きを入れる。
- 明るくはっきりと、丁寧に自社名を名乗る。笑顔で姿勢よく応対する。
- 注文や伝言などを受けたら復唱して、自分の名前を名乗る。
- 相手が通話を終了したのを確認してから、ゆっくりと受話器を置く。

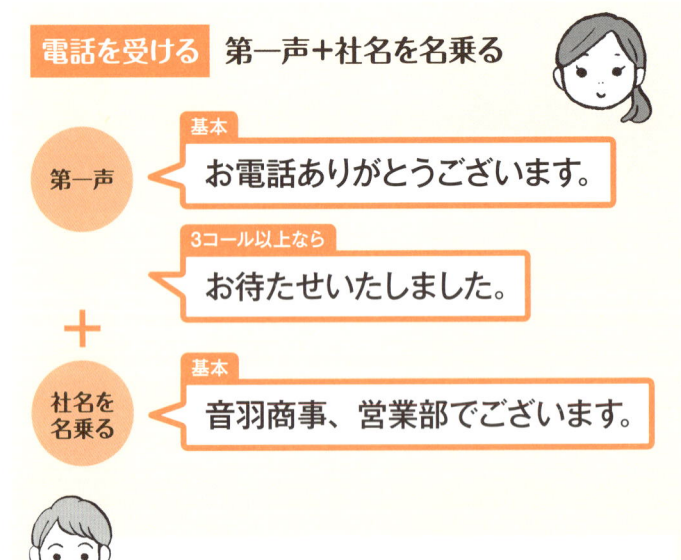

電話を受ける 第一声＋社名を名乗る

第一声

基本：お電話ありがとうございます。

3コール以上なら：お待たせいたしました。

＋

社名を名乗る

基本：音羽商事、営業部でございます。

ビジネスの場で「もしもし」は不適切です

第一声や社名の名乗り方は、会社で決まった言い方があればそれに従います。3コールよりもさらに数回多くなってから電話に出た場合は、第一声を「大変お待たせいたしました」に。「もしもし」は、ビジネスの場には不適切なので、ふだん使っている人は気をつけましょう。

電話を受ける　相手の名前を復唱する／取り次ぐ

講談物産の江戸川様でいらっしゃいますね。
いつもお世話になっております。

山田部長はいらっしゃいますか？

はい、山田でございますね。
少々お待ちくださいませ。

相手が名乗らずに指名した場合

恐れ入ります。
お名前をお教え願えませんでしょうか？

電話を受ける　指名された人が不在の場合

あいにく山田は外出しております。
よろしければ、山田から折り返し
お電話を差し上げるようにいたしますが、
いかがでしょうか？

指名された人が帰宅していた時

大変申し訳ございません。
山田は、本日は失礼させていただきました。

存じます。　B：おわかりにくいと存じます。

電話を受ける　自分あての電話を取り次いでもらった

> お電話代わりました。○○でございます。
> いつもお世話になっております。

電話を受ける　代理で伝言を伝える

> みょうごにちの会議につきまして、
> 山田より、江戸川様への伝言を預かっております。

電話をかける　電話をかける時の基本マナー

- 事前に用件のポイントや日時などをメモしておく
- 「お世話になっております」など挨拶の言葉を入れる
- 自分の社名と名前を名乗ってから相手を指名する
- 電話はかけたほうが先に切る。受話器は静かに置く

電話をかける　名乗る+お礼+指名

名乗る　社名（必要に応じて部署名）＋名前

> 文京商事の音羽と申します。

＋

お礼　ふだんの取引や、ご利用、ご交誼へのお礼

> いつもお世話になっております。

＋

指名　相手の名前、役職者は肩書も

> 部長の○○様は
> いらっしゃいますでしょうか？

電話を受ける／かける　担当者が電話中の場合

受けた：あいにく山田はほかの電話に出ております。
少し長くなりそうですので、
こちらからご連絡を差し上げるように
いたしましょうか？

かけた：それではお願いいたします。

受けた：念のため
お電話番号をお願いします。

かけた：13時までは社内におります。
それ以降は、携帯電話にお願いします。
番号は、090の××××、××××、です。

受けた側　復唱する → かけた側　確認する

受けた：私、花木が承りました。山田に申し伝えます。

かけた：お手数ですが、よろしくお願いいたします。
失礼いたします。

受けた：こちらこそすぐにご対応できず申し訳
ございませんでした。では、失礼いたします。

かけた側　電話を切る → 受けた側　電話を切る

を尊敬語にする際は動詞の部分に「～になる」を付ける。

コミュニケーションの言葉

言いにくいこともきちんと伝える“仕事の言葉”の使い方

感謝と誠意を込めたやわらかな言葉で

人と人とのお付き合いで、もっとも難しいのは断る時の言葉の使い方です。相手の申し出が好意からだとわかっていても、断らざるを得ないことは多々あります。そんな時に、言下に「結構です」「おかまいなく」と突き放してしまっては、相手が快く受け取るわけはありません。

ビジネスシーンでも、取引相手に対してストレートな断り方はしません。会社と会社のやりとりの中で、仕事として「断る」「頼む」「謝る」といった場面はよくあることですが、自分のひと言が自社を代表していることをしっかりと意識して事に臨みましょう。最終的には、上司に判断を委ねるとしても、まずは相手の申し出を聞くこと。そのうえで、もし断ることになった場合は、「私どもの力不足で」といった相手の責任ではないというニュアンスや、「今回は残念な結果になりましたが」と今後も発展的な関係を保つ意思を言葉で表すようにします。たとえ、こちらに非はなくても頭を下げて、「ご期待に添えなくて申し訳ございません」と申し出てくれたことへの感謝と誠意を込めて言ってみましょう。

1行話し方教室　敬語として正しいのはどちら？　A：ご紹介いただく。　B：ご紹介

社会人が使う「断・頼・謝」の言葉

断る・頼む・謝る　言葉づかいの共通原則

● 最初に感謝の気持ちを表す。否定形は避ける

✕ 急に言われても／必要ないので

○ お気づかいには感謝しております。

○ ～くださってありがとうございます。

● 相手を突き放すような言葉は使わない

✕ 無理です／ダメです／できません

○ 残念ですが／～ならできるのですが

● やわらかい言葉を使うが「曖昧な」表現はしない

✕ 無理なようです／失礼があったそうで

○ ～いたしかねます／大変失礼いたしました

していただだく。

断る　○と×で比べる「断る時の言葉」

相手を不快にさせない　断る時のキーワード

- 日頃のお付き合いへの感謝の言葉
- 引き受けられない理由
- お詫び＋NOの意思表示
- 代案を示す

断り方の○と×　YES・NOがはっきりしない

例　先輩から残業して仕事を手伝ってほしいと頼まれた

× 残業してもかまいませんが、
もしかしたらできないかもしれません。

○ できることならお手伝いしたいのですが、
今日だけは申し訳ないのですが、
ご勘弁ください。

断り方の○と×　断る理由がはっきりしない

例　取引先が納期のくり上げを申し入れてきた

× 検討はしてみますが、たぶん無理です。

○ 当社もギリギリのところで
やっておりまして……。
ご理解いただけると助かります。

［解答］A：ご紹介いただく。「紹介」「説明」など相手の動作を「も

断り方の〇と× 相手側に非があるようなもの言い

例 取引先に追加注文の取り消しを告げる

× あの商品は品薄で納入が間に合わないかもしれないとおっしゃっていましたよね。だから、追加はキャンセルすることになりました。

〇 大変申し訳ございません。こちらから無理をお願いしておきながら心苦しいのですが、今から追加注文の取り消しはできますでしょうか？

断り方の〇と× 問題解決の出口が見えない

例 取引先から相談にのってほしいと頼まれた

× お話を聞くまでもなく、私ではお力になれそうにありません。

〇 本日のところはひとまずお話を伺うだけでもかまいませんか？私でお力になれるかどうかわかりませんが、上司にも相談してみます。

のごと」として「もらう→いただく」とする敬意を示した言い回し。

頼む　○と×で比べる「頼む時の言葉」

相手が快く受け入れてくれる　頼む時のキーワード

- 切り出す時に「クッション言葉」は必須
- 相手の都合を第一に
- お願い事はメールや電話ですませない
- あくまでも謙虚に

頼み方の○と×　相手の名前を省略する

例 来客にお茶を出してもらう

× ちょっと、きみ、悪いけど
応接室にお茶を出してもらえるかな。

○ △△さん、申し訳ないけれど
応接室にお茶をお願いできますか？

頼み方の○と×　自分の都合を優先する

例 取引先に打ち合わせの日程の変更を申し入れる

× 急な出張が入ってしまったので、
来週火曜日に変更していただけますか？

○ 申し訳ありません。
急な出張が入ったもので、
来週のご都合がよい日に
変更していただけると助かります。

頼み方の○と×　お願いをする姿勢が感じられない

例　メールでの頼み事の返事を催促する

× 先日メールでお願いした件ですが、
本日はいいお返事をいただけると
期待して伺いました。

○ 先日はメールでお願い事をして
失礼いたしました。
本日は、改めてお願いに参りました。
お返事は急ぎませんので、話だけでも
聞いていただけませんでしょうか？

頼み方の○と×　押し付けがましい頼み方

例　同僚に仕事の手伝いを頼む

× 前に倉庫整理を手伝ってあげましたよね。
そのお返しといってはなんだけど、
資料作り、一緒にやってもらえません？

○ 明日の会議用の資料作りが
間に合いそうになくて……。
手が空いてる時でかまいませんので、
コピーとりだけでも
手を貸していただけませんか？

A：お供させていただきます。　B：ご一緒いたします。

謝る　○と×で比べる「謝る時の言葉」

相手が納得してくれる　謝る時のキーワード

- お詫びの言葉ははっきりと言う
- 言い訳から話を始めない
- どんなに相手が怒ろうとも耐える
- 対応策を提示する

謝り方の○と×　謝罪は上辺だけ。自分は悪くない

例　取引先に納入した商品が間違っていた

× 申し訳ございません。
きっと配送業者の誤送ですね。

○ ご迷惑をおかけして、
大変申し訳ございません。
本日着で再配送の手配をいたしました。

謝り方の○と×　許してほしいだけで反省がない

例　上司に書類のミスを指摘された

× ごめんなさい。部長に頼まれた仕事だけに、
少しでも早く終わらせたいと思いまして。

○ 確認不足で申し訳ございません。
以後気をつけます。
ご指摘ありがとうございました。

1行話し方教室　[解答] A：お供させていただきます。Bは「一緒に行く」を丁寧に

謝り方の○と×　言い訳ばかりでお詫びがない

例　取引先との約束に遅刻した

× 道が混んでいてタクシーの中でハラハラし通しでした。お待たせしましたが、さっそく打ち合わせを始めましょうか。

○ 大変お待たせして申し訳ございません。先ほどご連絡した予定より20分も遅れてしまいました。
このあとに何かご予定があるようでしたら、また日を改めてお伺いいたしますが……。

謝り方の○と×　相手が怒る理由をわかっていない

例　自分の連絡ミスで上司が取引先での会議に遅れた

× いつも早めに到着されているので間に合うかなと。でも、5分遅刻ですむなんてさすがは部長ですね。

○ 大変申し訳ございません。念のため朝にも確認の電話を入れるべきでした。
今後は、このようなことはいたしませんので、どうかお許しください。

表現しただけで尊敬表現ではない。

クッション言葉　断る・頼む・謝る 基本用例集

断 ＝断る　頼 ＝頼む／尋ねる　謝 ＝謝る

クッション言葉	用例	
あいにくですが	断	明日は先約が入っております。
	謝	席を外しております。
ありがたいお話ではございますが	断	ご辞退させていただきます。
お忙しいこととは存じますが	頼	よろしくお願いいたします。
恐れ入りますが	頼	お名前を伺ってもよろしいでしょうか？
	謝	少々お待ちくださいませ。
お使い立てして申し訳ございませんが	頼	～していただけますか？
お手数ですが	頼	ご記入をお願いいたします。
お役に立てず大変恐縮でございますが	断	ご了承ください。
	謝	ご容赦ください。
勝手申し上げますが	頼	本日はご都合よろしいでしょうか？
	謝	ご理解ください。
ご期待に添えず大変申し訳ございませんが	断	今回は見送らせていただけますか？
	謝	なにとぞご容赦ください。
ご足労をおかけいたしますが	頼	お越しいただけますか？
ご面倒をおかけいたしますが	謝	よろしくお願いいたします。
差し支えなければ	頼	ご連絡先を伺えますでしょうか？
残念ながら	断	今回は見送らせていただきます。
失礼ですが／失礼とは存じますが	断	欠席させていただきます。
	頼	○○様でいらっしゃいますか？
せっかくですが	断	今回はお受けいたしかねます。
大変恐縮ですが	頼	もう一度ご確認いただけますか？
大変心苦しいのですが	断	お断りさせていただきます。
大変残念ですが	断	ご期待には添いかねます。
大変申し訳ございませんが／申し訳ございませんが	断	わかりかねます／いたしかねます。
	頼	～していただけますでしょうか？
	謝	ただ今在庫を切らしております。
私どもの力不足で申し訳ございませんが	断	ご了承ください。
	謝	ご勘弁ください。

5章

言葉づかいの作法

お祝い、お悔やみなどフォーマルな場面には、
それぞれにふさわしい大人のふるまい方があります。
社会人として「知らない」ではすまされない
言葉づかいとマナーを身につけましょう。

言葉づかいの作法

いざという時に役立つ言葉とふるまいの礼儀作法

社会人のたしなみ「礼儀作法」の礎は“心”

社会人になると、人が集まる場に出る機会が多くなります。結婚披露宴、お葬式といった冠婚葬祭には、身につけるものからふるまい方、言葉づかいにも特別なマナーがあるので、ひと通りのことは心得ておきましょう。

マナーや礼儀作法というと、大半の人が堅苦しくて難しいものと思っているようです。「こうしなければいけない、こうするものだ」と“決まり事”ばかりにとらわれると、覚えることがたくさんあって面倒に感じて“お手上げの状態”になったり、反発したりもするのでしょう。

もし、礼儀作法で知らないことがあれば、恥ずかしがらずに周りの人に「どうすればよろしいですか？」と素直に尋ねること。知らずにやったことで礼を失してしまったら、その時は、不作法を心から謝って、同じことをくり返さないようにすればよいのではないでしょうか。大事なことは、人への思いやりを“かたち”で表すことがマナーや礼儀作法であり、その根底には、相手に対する自分の“思い”があるということです。その意味がきちんと理解できていれば、あとは臨機応変にどう実践するかという問題だけです。

1行話し方教室　自分の上司に「社長が来た時には、A部長はすでに来ていた」と伝え

言葉の作法講座〈お付き合い編〉

冠婚葬祭　大切な人の人生の節目に立ち会う

「冠婚葬祭」は、一人の人間の人生の節目ごとの行事を表す言葉。本来元服、婚礼、葬儀、祖先の祭祀の儀式を指し、人が生まれてから死ぬまで、また残された家族によって死後に行われるものまで含めて、この4文字に表される行事を滞りなく行うことで「人生を全うした」とみなすと考えられてきました。

冠《かん》

成人式を祝う言葉

ご成人おめでとうございます。

「成人式」のこと。「合格・進学祝い」「就職祝い」や、「七五三」「還暦」などの年寿祝いも加える。

婚《こん》

結婚を祝福する言葉

ご結婚おめでとうございます。

「結婚式」のこと。婚姻を確認する儀式「挙式」と新たな人生の門出を祝う「披露宴」も含まれる。

葬《とう》

お悔やみの言葉

心からお悔やみ申し上げます。

亡くなった人を弔う儀式のこと。故人の宗教、地域の風習によって儀式の内容もさまざまに違う。

祭《さい》

法事に招かれた時の挨拶

お招きいただき恐れ入ります。

「法要」「法事」など先祖の霊をまつる行事のこと。「お盆」「正月」、「七夕」などの節句も含まれる。

冠婚葬祭 「慶弔」の席で避けたい言葉

現在でも“儀式”として伝統が重んじられる「婚」「葬」は、一般に「慶弔の儀式」と呼ばれています。どちらも儀式という意味では簡略化したとはいえ、言葉づかいやふるまいには古くからの礼儀作法が重要視されます。

結婚披露宴や、祝賀会などの慶事では、昔からハッピーな気持ちを損ねるような言葉は「忌み言葉」といって使わないことが礼儀。とくに婚礼では、新郎新婦、両家のご縁が末永く続くように、スピーチはもちろん宴席での会話にも縁起を重んじます。「別れる」「切れる」ことを想像させる言葉、一度きりでよい婚礼が「くり返される」ことを連想させる「重ね言葉」は使ってはいけません。

慶事に避けたい「忌み言葉」と「重ね言葉」

結婚祝い

忌み言葉

浅い／痛い／飽きる／薄い／衰える／折る／終わる／帰る／変わる／消える／切れる／苦しい／壊れる／去る／死ぬ／倒れる／散る／出る／閉じる／流れる／何度も／逃げる／離れる／冷える／ほどく／戻る／破れる／やめる／別れる／われるなど。

重ね言葉

返す返す／重ね重ね／重々／たびたび／またまた／皆々様、など。

- **「くり返し」を連想させる言葉** くり返す／もう一度／再び／再三／再三再四など。

懐妊・出産祝い

流れる／落ちる／失う／消える／枯れる／四／だめ／滅びる／敗れる／弱いなどの流産を連想させる言葉。

長寿の祝い

衰える／折れる／枯れる／切れる／朽ちる／死／倒れる／根づく／寝る／病気／曲がるなど。

入学・入社・栄転祝い

失う／落ちる／終わる／消える／崩れる／壊れる／倒れる／中止／中途半端／取り消し／流れる／変更／破る／やめるなど。

開店・開業祝い

失う／傾く／さびれる／倒れる／つぶれる／詰まる／閉じる／負ける／破れる／敗れる、など。

- **「赤字」など経営難を連想させる言葉** 赤／紅など。

新築祝い

焼ける／燃える／倒れる／壊れる／流れる／飛ぶ／傾く／つぶれる、など。

- **火事を連想させる言葉** 火／煙／赤／燃える／焼けるなど。

「忌み言葉」や「重ね言葉」は、宴席だけでなく、祝電、お祝いの品に添えるメッセージカード、手紙などにも使わないように気をつけましょう。

1行話し方教室 ［解答］「社長がお見えになった時には、A部長はすでに来られていま

忌み言葉はほかの言葉に言い換える

例 結婚披露宴でのスピーチ

× お二人が**新しいスタートを切った**……

○ お二人が
新しいスタートラインに立った……

例 長寿の祝いの席で

× 私が**寝る間も惜しんで**編んだ……

○ 私が**精一杯頑張って**編んだ……

弔事に避けたい「忌み言葉」と「重ね言葉」

忌み言葉

浮かばれない／追って／続く／なおも／また／迷う、など。

- **直接的な表現**　生きる／死ぬ／死亡／生存、など。
- **「死」「苦」を連想させる数字**　四／九

重ね言葉

- **不幸が重なることを連想させる言葉**　重なる／重ね重ね／くれぐれも／再三／次々、など。
- **不幸が再びくることを連想させる言葉**　いよいよ／返す返す／しばしば／たびたび、など。

弔事の忌み言葉を言い換える

「死亡」→「ご逝去」 故人が身内の場合は「永眠」「身《み》罷《まか》る」など。

「生きている頃」→「お元気な頃」「ご生前」など。

※弔事では、宗教・宗派によって使ってはいけない「忌み言葉」もあります。

慶事　喜びを伝える言葉と作法

結婚式や披露宴に友人として出席する場合でも、周りがすべて知り合いとは限りません。招待状が届いてから、当日会場をあとにするまで、言葉づかいやふるまいに気をつけましょう。招待された人の中には、当日の受付や司会、スピーチを頼まれることがあります。新郎新婦は、自分たちが信頼でき、その役割にふさわしい人に依頼するのですから、頼まれた人も気持ちよく引き受けたいものです。とくに主催者側として招待客と接する受付、司会を任された場合は、うっかり「忌み言葉」や「重ね言葉」を使わないように注意が必要です。

受付・司会・スピーチ　忌み言葉の言い換え

忌み言葉と使用例		言い換え例
終わる	～終わらせていただきます	お開きとさせていただきます(宴席) 私のお祝いの言葉といたします
最後	最後になりますが、お幸せに 最後に私から……	結びの言葉になりますが、お幸せに それでは私から……
去る	今を去ること10年前	今から10年前のことです
去年(きょねん)	新郎は去年10月に～	新郎は昨年10月に～
切る	お二人で切ったケーキを～	お二人でナイフを入れたケーキを～
返す	こちらはお返しいたします	こちらはお納めください
重ねて	重ねてよろしく～	改めてよろしく～
死ぬほど	死ぬほど驚きました	大変驚きました
くれぐれも	くれぐれもよろしく	どうぞよろしく
四(し)	イチ、ニ、サン、シ……	イチ、ニ、サン、ヨン……
九(く)	……ニジュウク、サンジュウ	……ニジュウキュウ、サンジュウ

司会　挨拶や紹介は“身内”の立場で

- 新郎新婦の両親や親族は、敬称をつけずにフルネームで紹介する

例　**新郎の父、△△□□　新婦の叔父の△△□□**

- 招待客を紹介する際は、「肩書＋フルネーム＋様」が基本

例　**新婦の勤務先、○○株式会社専務取締役、△△□□様**
新郎の恩師、○○大学○○学部教授、△△□□様

1行話し方教室「以上で終わりです」「出口から」も慶事の忌み言葉。祝い酒がすすむ

受付係／招待客　受付係は主催者側に立ってふるまう

※混雑時は（　）内の省略可

笑顔で
明るく

招待客　本日はおめでとうございます。
（新郎の友人の○○と申します。）

受付係　（本日はお忙しい中、ご出席いただき）
ありがとうございます。

主催者側の親族とわかる場合

本日は誠におめでとうございます。

おめでとう
ございます

招待客　祝儀袋を袱紗《ふくさ》から取り出して、
正面を受付係のほうに向けて渡す。

受付係　ありがとうございます。お預かりいたします。

祝儀袋を両手で受け取る。お盆の上に丁寧に置く。

恐れ入りますが、
こちらにご記帳をお願いいたします。

芳名帳の正面を招待客側に向け、指をそろえ手のひらを上にして、手を添えながらお願いする。

動作も
丁寧に

招待客　住所、氏名を記入する。

受付係　開宴までしばらくお待ちいただけますでしょうか？
控え室は△△の間となっております。

席次表を渡し、控え室のほうに手を向けて案内する。「お車代」や駐車券などを預かっている場合は、この時に渡す。

招待客　ありがとうございます。

ともに
一礼！

と、つい口から出てしまいがちなので、司会を頼まれた人は要注意。

控え室で　新郎新婦の両親、親族への挨拶

おめでとうございます。
本日はお招きいただきありがとうございます。

新郎新婦の両親を見かけたら必ず挨拶を。両親と初対面の場合は、自己紹介も忘れずに。

席に着く時　同席者への挨拶

× …………。（黙って席に着く）

○ 失礼いたします。（一礼して着席）

同席者が知り合いばかりでも、着席前に挨拶するのが礼儀。初対面の人の場合は、着席してから自己紹介をする。

新郎と高校時代からの友人の○○です。

退場する時　見送る主催者へのお礼

新郎新婦に

お幸せに。本日はありがとうございました。

両親、媒酌人に

ありがとうございました。
素晴らしい披露宴でした。

1行話し方教室　披露宴に出席する際、事前にお祝いを届けている場合は、受付で「お

お祝い 贈り物へのお礼の言葉と作法

お祝いに限らず、何かいただいた時は、必ず礼状を送って感謝の気持ちを伝えます。できれば、受け取った直後にもお礼の電話をして、いただいてすぐのうれしい気持ちを伝えましょう。

例 親戚から栄転祝いの品が届いた

お礼

お祝いの品がついさきほど届きました。ありがとうございます。

＋

感想

以前から欲しいと思っていたものなので、大変喜んでおります。

お祝い・贈り物　贈る時期とお返し

種類	贈る時期の目安	お返し
結婚	挙式の1週間前までに	挙式後1カ月くらいまでに
出産	命名日（7日目）以降、生後1カ月前後まで	お祝いをいただいてから1カ月以内
初節句／七五三	1~2カ月前から、当日まで	不要
長寿（還暦など）	1~2カ月前から、当日まで	不要
入園／入学	1~2カ月前から、当日まで	不要
卒業	卒業式前後1カ月が目安、すぐに就職する場合は「就職祝い」に	不要
就職	知らせを受けたらなるべく早く	不要
栄転	異動の決定後、なるべく早く	不要
定年退職	職場の送別会は退職日までに	不要
開店／開業	開店、開業後なるべく早く	記念品、パーティー
新築	完成後なるべく早く	お祝いをいただいてから1カ月以内
お中元／お歳暮	お中元　7月1日~8月15日※ お歳暮　12月1日~23日頃※	不要

※地域差があります

祝いはお届けしております」とひと言断るとよい。

お付き合い お見舞いの作法

知り合いや、会社の上司、同僚、仕事関係の付き合いのある人が病気やケガで入院した場合は、まず相手の家族、会社の同僚などに状態を確認します。一般に、お見舞いに行くタイミングは、回復に向かい始めた頃がよいとされますが、優先すべきは入院患者の気持ちです。お見舞いに行くのは、本人や家族の了解を取ってからにしましょう。

お見舞いの作法 やっていいこと、いけないこと

- ✕ 退屈だろうと気を利かせて大勢で面会に行く
- ○ 面会中に、付き添っている家族に食事や休憩をとってもらう
- ✕ 患者本人に、病名や病状について尋ねる
- ○ お見舞いは、現金や、病院で使うテレビカード、図書カードにする
- ✕ 自分の都合のよい時間に面会に行く
- ○ 仕事の都合で面会に行けないので、はがきで見舞状を出す

お見舞い 病気見舞いの品を渡す

✕ つまらないものですが、どうぞ。

○ 気晴らしになるのではないかと、〇〇を持って参りました。

お見舞いの作法 病気見舞いに「四」「九」は避ける

お見舞いの品を渡す時は、その品物に込めた思いをさりげなく伝えましょう。病人にはそれが励ましとなり、見るたび触れるたびに見舞ってくれた人の気持ちに触れることができます。なお、現金やギフトカードを病気見舞いとして贈る際は、金額に注意を。不吉な「死」「苦」を連想させる「四」「九」の数字は入らないようにします。

1行話し方教室 電話は、基本的にかけた側が先に切るが、目上の人から受けた電話

お見舞い　病人に会って最初に声をかける時

×　やっぱり顔色がよくないですね。少しやせましたか？

○　思ったよりお元気そうで安心しました。もう落ち着かれましたか？

病気の話題はできるだけ避けたほうが無難。

お見舞い　入院中の上司に仕事のことを聞かれた時

×　大丈夫、心配しないでください。万事順調です。

○　部長のようにはできませんが、みんなで頑張ってなんとかやっています。

お見舞い　付き添いの家族をねぎらう

×　奥様も大変ですね。看病でお疲れではないですか？

○　奥様もお疲れでしょう。私どもでお手伝いできることがありましたらおっしゃってください。

※病人の前では言わない。

は、相手が切るのを待ってから切ったほうが礼儀正しく好ましい。

弔事　訃報を受けてから葬儀まで 弔事の作法

弔事は、非礼の許されない厳粛な場です。突然の訃報から告別式まで、失礼のない言葉づかいとふるまいができないようでは、社会人として通用しません。とくに、日常生活では使うことがない“お悔やみの言葉”は、知っていないとなかなか出てきません。会社の上司や同僚が不幸に見舞われた際にも、きちんと対応できるようにひと通りの作法は習得しておきましょう。

訃報を受けた時　お礼と慰めの言葉

✕ お知らせありがとうございます。
さぞ悲しいことでしょう。

○ ご連絡いただき、恐れ入ります。
突然のことで言葉も見つかりません。

故人の親族ではない人からの連絡であればかまわないが、訃報に際して「ありがとう」はあまりそぐわない言葉。なぐさめの言葉にも「悲しい」「つらい」など遺族の悲しみを増幅させる言葉は使わない。

訃報を受けた時　お悔やみに行ってもよいか尋ねる場合

お差し支えなければ、これからご自宅に
伺ってもよろしいでしょうか？

断られたら無理強いしない。

お気持ちも考えず、申し訳ありませんでした。

1行話し方教室　お悔やみの言葉は、宗教・宗派によってさまざまに違うのでふさわし

訃報を受けた時　葬儀の日程、宗教・宗派を尋ねる

恐れ入ります。ご葬儀の日程がおわかりでしたら教えていただけますでしょうか？

仕事関係の弔事で、自分が第一報を受けたら、故人の氏名、葬儀の日程、会場、喪主、宗教・宗派は必ず確認します。

訃報　身内の不幸を知らせる場合

✕ 祖母が亡くなりました。　◎ 祖母が他界いたしました。

「亡くなる」という言い方は、本来目上の人に対して使われるもので、身内に対して使うのはふさわしくありません。なるべく「死」や「死亡」といった直接的な表現を避け、「身《み》罷《まか》る」「他界」「永眠」などの言葉に言い換えます。

弔電で使う敬称

喪主との続き柄	敬称	喪主との続き柄	敬称
父	ご尊父様（ごそんぷさま）	母	ご母堂様（ごぼどうさま）
祖父	ご祖父様（ごそふさま）	祖母	ご祖母様（ごそぼさま）
兄・義兄	ご令兄様（ごれいけいさま）	姉・義姉	ご令姉様（ごれいしさま）
弟・義弟	ご令弟様（ごれいていさま）	妹・義妹	ご令妹様（ごれいまいさま）
夫	ご夫君様（ごふくんさま）	妻	ご令室様（ごれいしつさま）
息子	ご令息様（ごれいそくさま）	娘	ご令嬢様（ごれいじょうさま）
義理の親が亡くなった人宛に弔電を送る場合			
夫の父	お舅様（おしゅうとさま）	夫の母	お姑様（おしゅうとめさま）
妻の父	御外父様（ごがいふさま）	妻の母	御外母様（ごがいぼさま）

弔電は、基本的に喪主宛に送り、喪主との続き柄で故人の敬称が使われます。

同僚の兄が亡くなった場合　●父が喪主＝ご令息様　●同僚が喪主＝ご令兄様

同僚の義父が亡くなった場合　●妻の兄が喪主＝ご尊父様　●同僚が喪主＝御外父様

「とりあえずの弔問」に駆けつける時の作法

玄関での挨拶

**このたびはご愁傷様でございます。
おとりこみ中失礼いたします。**

供花や供物を渡す時

ご霊前にお供えください。

四十九日の法要までは、不祝儀袋の表書きも「御霊前」にする。
※表書きの形式は宗教・宗派で異なるので注意を。

手伝いを申し出る

**何かお手伝いすることがございましたら、
ご遠慮なくお申し付けください。**

個人的な付き合いの場合、手伝いは自分から申し出る。仕事関係の場合は、上司や担当者に詳しい対応の指示を仰ぐ。

帰り際の挨拶

**お力落としのこととは存じますが、
私にできることがございましたら
なんなりとおっしゃってください。**

遺族を励まし、もう一度手伝いを申し出て、深く一礼する。

「とりあえずの弔問」のマナー

- 自己都合だけなら通夜前の弔問は控える
- 通夜前に自宅へ弔問に伺う場合は、玄関先で失礼するのが基本
- 故人との対面は、遺族にすすめられた時だけ
- 故人との対面を辞退する場合は、ソフトな表現で断りの意を伝える

例 「悲しさが増しますので……、お線香だけあげさせていただきます」

本来「亡くなる」は尊敬語として用いられてきたが、江戸時代末期か

弔問 受付係／弔問客のふるまい方

弔問客

受付での挨拶

このたびは、ご愁傷様でございます。

お悔やみの言葉を述べて一礼する。

↓

受付係

弔問のお礼 ※混雑時は（ ）内省略可

（本日はご多用の中、お越しいただきまして）恐れ入ります。

遺族の代わりとしてお礼を述べる。

↓

弔問客 袱紗から香典を出して、正面を受付係のほうへ向けて、両手で差し出す。

↓

受付係

香典を預かる

ご丁寧に恐れ入ります。お預かりいたします。

香典を両手で受け取り、一礼する。

受付係

お手数ですが、こちらにお名前をご記入ください。

指先をそろえ手のひらで芳名帳を指しながら記入のお願いをする。

↓

弔問客 芳名帳に、会社名、名前をフルネームで記入

↓

受付係

返礼品を渡す

ありがとうございます。

記入のお礼を述べて、会葬礼状などの返礼品を渡す。

受付係

告別式はあちらで行います。恐れ入りますが、靴を脱いでお進みくださいませ。

「通夜のお席」「葬儀会場」など適宜に。

↓

弔問客

お参りさせていただきます。

↓

受付係 **弔問客** ともに一礼する。

ら明治時代初め頃にかけて丁寧語に変化した傾向がある。

弔問　通夜、葬儀、告別式に参列する際の心得

- 香典などの金包みは、むき出しにせず、必ず袱紗に包んで持参する
- 宗教･宗派の形式に合わない香典袋は受付に預けない
- 形式に合った香典袋が当日手に入らない場合は、記帳だけにして後日届ける
- 通夜ぶるまいをすすめられたら、辞退しないで必ず席に着くのが礼儀
- お悔やみの言葉は宗教・宗派で異なるので、必ず事前に確認しておく

例　一般的な仏教の場合
「このたびはご愁傷様でございます」「心からお悔やみ申し上げます」
キリスト教式の場合
「心よりお慰め申し上げます」「安らかに召されますように」

お悔やみの言葉と慰めの言葉

お悔やみの言葉

× ご愁傷様／ご愁傷様です。

○ このたびは、ご愁傷様でございます。

言葉を端折らず丁寧に

厳かな場所ですから、言葉を端折らずに「このたびは、ご愁傷様でございます」と、心を込めて丁寧な言い方をしましょう。

慰めの言葉

○○様が亡くなられて、
残念なことでございます。
心からお悔やみ申し上げます。

通夜や葬儀、告別式の時には、無理に言葉を多くするよりも、丁寧な言葉で簡潔に哀悼の意を表します。

1行話し方教室　「死ぬ」「死亡」の言い換えとして死亡広告や、弔電･弔辞に使われる

代理弔問の作法　上司の代わりに弔問する場合

受付で香典を渡す

受付で挨拶のあと、香典を渡す際に、代理であることを告げる。

> 本日は、山田の**代理で参りました**。

香典に名刺を添える

上司の名刺を香典に添えて渡す。原則として、代理弔問者は、受付で求められた場合に限り、「代理」と書いた自分の名刺を渡す。

頼んだ人　　代理人

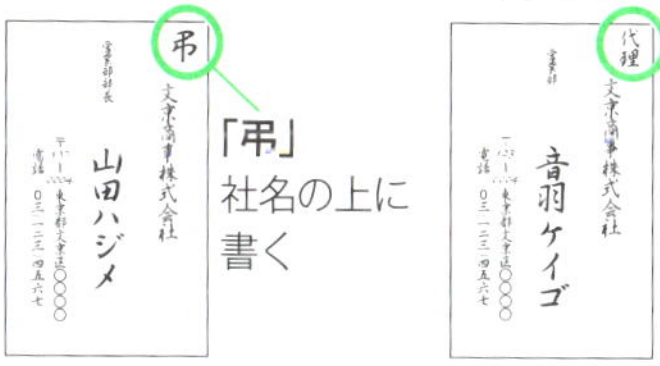

弔
文京商事株式会社
山田ハジメ
代理
文京商事株式会社
音羽ケイゴ

「弔」社名の上に書く

「代理」社名の上に書く

芳名帳に記入する

上司(代理を頼んだ人)の氏名を書き、左下に「代」と書く。横書きの場合は、氏名の右下に書く。

芳名帳

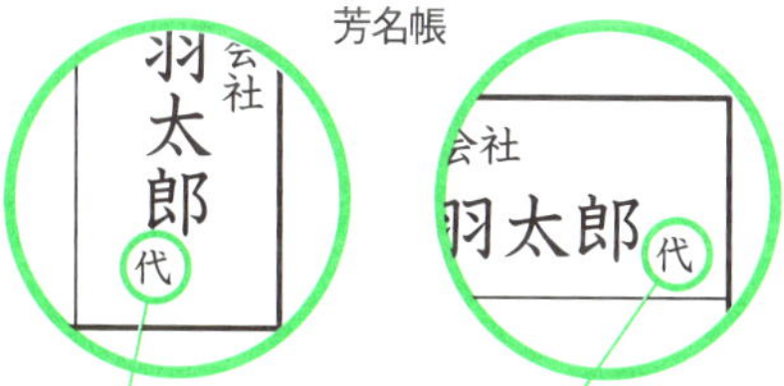

羽
太郎
会社
代
会社
羽太郎
代

氏名の左下に「代」と書く。

横書きの場合は氏名の右下に書く。

遺族へのお悔やみの言葉

上司に代わって、喪主、遺族に挨拶とお悔やみを述べ、上司の言葉も必ず伝える。

> 山田がただ今**出張中でございます**ので、
> 本日は私が代理で参りました。
> **このたびは、誠にご愁傷様でございます。**
> 山田もこの大事の時に
> **申し訳ないと申しておりました。**

返礼品は必ず受け取る

会葬御礼と返礼品は必ず受け取って、上司に葬儀の様子を報告する際に一緒に手渡す。

言葉は、「逝去」「お亡くなりになる」「帰らぬ人となられる」「不帰の客」など。

言葉づかいの作法

「挨拶・時間厳守・礼節」は作法以前の社会人常識

握手は相手の流儀に合わせてスマートに

日本では、礼儀作法としてお辞儀を重要視しますが、欧米人は「握手」をします。どちらも相手に敬意を表すものですが、ビジネスの国際化で握手をする機会が増えたといっても、日本ではまだまだ挨拶の主流はお辞儀です。その習慣のせいか、握手をしながらお辞儀をしている人を見かけますが、その必要はありません。

「お辞儀」は、頭を低くして相手に対する敬意を表しますが、「握手」は、手を握りあって、相手への信頼や、一緒に頑張りましょうという気持ちを伝えます。これは、どちらがいい悪いではなく、それぞれの文化、習慣の違いからくるものです。「郷に入っては郷に従え」という言葉があるように、欧米の外交官も、お辞儀の習慣がある国では、とても丁寧なお辞儀で敬意を示します。

ただし、ビジネスとなると別問題。欧米社会において、お辞儀は「謝罪」の意味合いでとらえるからです。海外からのお客様を心からの敬意をもって迎えたいと思ったら、その人の文化的背景を知っておくことも大切。握手を交わす時には、その場の空気を読んで相手の流儀で敬意を伝えることは、社会人として覚えておきたい作法の一つです。

言葉の作法講座〈ビジネス編〉

ビジネスの作法　スマートな握手の仕方

- 目上の人や地位の高い人から手を差し出す
- ビジネスの場合は、女性に対しても「地位」を最優先する
- 左利きであっても握手をする時は「右手」を使う
- 手を離すまで相手と目を合わせたままにする

挨拶

ようこそいらっしゃいました。
私は○○と申します。

↓

握手

①挨拶が終わるタイミングで手を差し出す

目線を合わせながら笑顔で近づき、右手を差し出す。ただし、相手が目上の人、女性の場合は、手を差し出してくれるのを待つ。

②やや力を入れて相手の手を握り、上下に軽く振る

背筋を伸ばしてひじから先がちょうど相手との中間になるあたりで握手を交わす。相手の目を見ながらほほ笑む、軽くうなずくのもOK。

③目を合わせたまま、そっと手を離す

相手が手を緩めて再び力を入れたら、こちらも軽く握り返す。そっと手を離し、握手が終わったら元の立ち位置に戻る。

気をつけよう！　握手のNG

✕ 握手をしながらお辞儀をする → 卑屈な印象

✕ 目をそらしたまま握手をする → 不誠実な印象

✕ 手を握る時に力を入れない → 熱意がない

能と伺っております。　B：英語にご堪能でいらっしゃるんですか？

ビジネスの作法 紹介と名刺交換の順序

“紹介したりされたり”は、公私を問わずによくあること。取引先との窓口として紹介者になる時やプライベートでも役立つ「紹介の順序」を覚えておきましょう。

紹介の作法 紹介の順序　基本と6つの原則

基本 紹介者 は 立てたい人 を**最後**に紹介する

原則 紹介する人の人数や状況によって、多少変わってきますが、次の6つの原則を参考に臨機応変に対処しましょう。

①他人と身内　先に 他人 に 身内 を紹介する

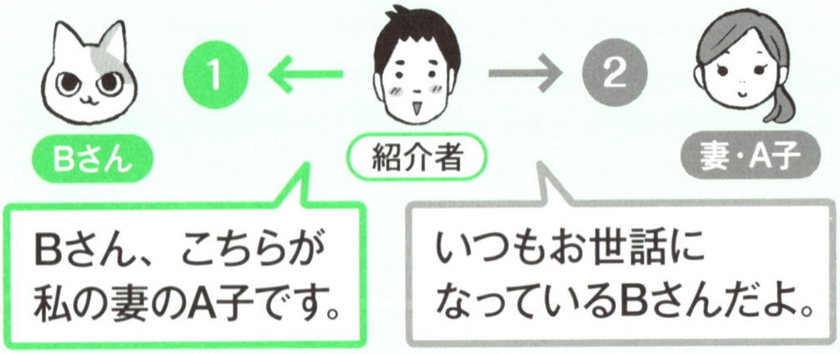

1
2
Bさん
紹介者
妻・A子
Bさん、こちらが私の妻のA子です。
いつもお世話になっているBさんだよ。

②他社と自社　先に 他社の人 に 自社の人 を紹介する

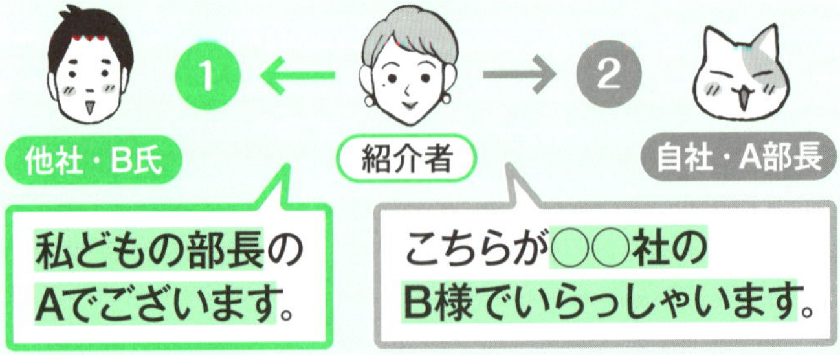

1
2
他社・B氏
紹介者
自社・A部長
私どもの部長のAでございます。
こちらが○○社のB様でいらっしゃいます。

ビジネスシーンでは欧米でもこの方法が一般的。

③地位の上下　先に 地位が上の人 に 地位が下の人 を紹介する

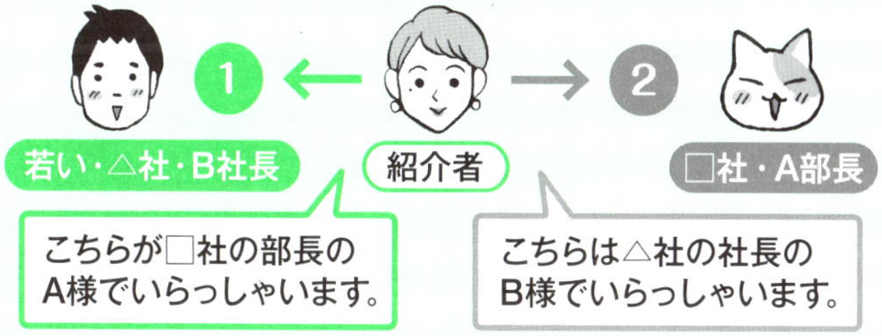
1
2
若い・△社・B社長
紹介者
□社・A部長
こちらが□社の部長の
A様でいらっしゃいます。
こちらは△社の社長の
B様でいらっしゃいます。

同じ地位の場合は、取り引きの内容、年齢差などで総合的に判断する。

④年齢差　先に 年配者 に 若い人 を紹介する

1
2
年配者・B氏
紹介者
若い人・A氏

年齢で判断できない時は、先に付き合いの浅い人に親しい人を紹介する。

⑤同行者　先に 訪問先の人 に 同行者 を紹介する

1
2
訪問先
紹介者
同行者

⑥女性と男性　先に 女性 に 男性 を紹介する

1
2
女性
紹介者
男性

ビジネスでは、地位を最優先。プライベートでは年配者、付き合いの浅い人を優先。状況によって判断する。

が正しくても、目上の人に何かを「できるかどうか」を尋ねるのは失礼にあたる。

名刺交換の作法　好感の持てる名刺のやりとり

名刺は、お互いに会社の信用を背負って交換するもの。初対面の相手とは、名刺と一緒に“第一印象”もやりとりする大切な場面でもあります。最初に基本的な名刺交換のマナーをしっかり頭に入れておきましょう。

- デスクやテーブル越しではなく、直接向き合い、立って行う
- 名刺入れは必須。ポケットやお財布から直接名刺を出さない
- きれいな名刺をやりとりする。折れ曲がっている、汚れている名刺はNG
- 相手が差し出した名刺の高さより、低い位置で名刺を差し出す
- 受け取った名刺をすぐしまったり、デスクに置いたりしない
- 相手の名刺は、両手で持ち、胸の高さでキープする

名刺交換の基本　1対1で渡す／受け取る

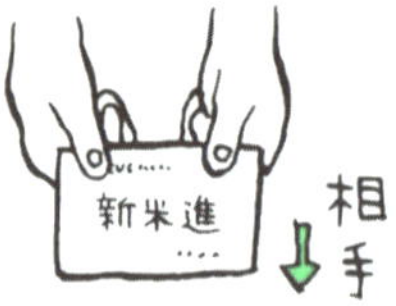

①名刺を両手で持ち、向き合って立つ

初めまして。〇〇と申します。

名刺は、正面を相手に向けて両手で持つ。相手と目を合わせて挨拶の言葉を述べてから会釈をする。

②両手で差し出し、渡す時は右手だけで持つ

恐れ入ります。頂戴いたします。

名刺を差し出す時は両手、渡す直前に右手だけで持って相手の左手に置く。相手の名刺は左手で受け取る。

③受け取った名刺は両手で持ち、胸の高さでキープ

名刺を受け取ったら両手に持ち替え、名刺を胸の高さでキープして後ろに下がる。名刺を確認して、お辞儀をする。

1行話し方教室　来客に名前を記入してもらう芳名帳が二つ折りタイプの場合は、片面

ビジネスの作法　上司を交えて他社の人と名刺交換をする

例　部下Aと上司Bが他社の人C氏を初めて訪問する ●2人とも初対面

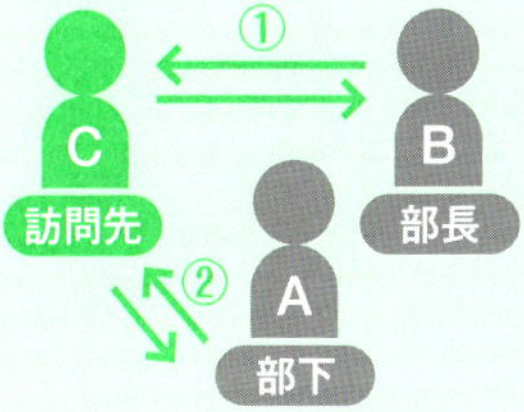

①BがC氏と挨拶を交わし、名刺交換
②AがC氏に挨拶をして名刺交換

名刺交換の順番は、「紹介の順序」（P148～149）と基本的に同じでよい。この例のように2人とも相手と初対面の場合は、まず地位が上の人同士が先に挨拶・名刺交換をする。

例「初めまして」がそぐわない時の初対面の挨拶

> **電話では何度かお話しさせていただきましたが、改めてご挨拶申し上げます。**

ビジネスの作法　上司を他社の人に引き合わせる

例　部下Aが紹介者となって自社の部長Bを他社の人C氏に引き合わせる

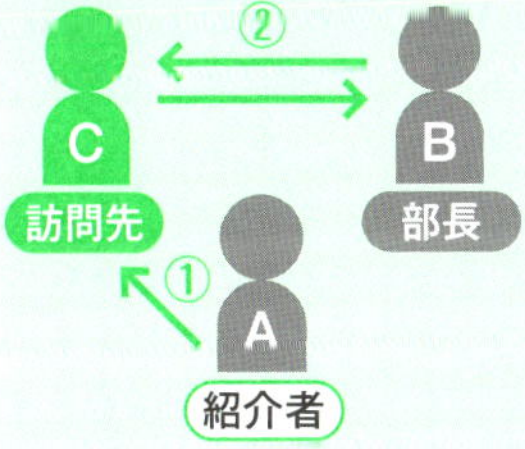

①Aは先にC氏に挨拶をし、Bを紹介する
②BはC氏と挨拶を交わし、名刺を交換する

C氏が、無役でも、上司より若くても、紹介者は先にC氏に上司を紹介する。またBは、C氏より先に名乗り、名刺を差し出す。

例　上司を他社の人に引き合わせる時

> **お引き合わせする機会がないまま、ご紹介が遅くなりましたが、こちらが私どもの部長のBでございます。**

だけ使う。これには、裏写りを防ぐためと「裏表がない」という縁起担ぎの意味もある。

ビジネスの作法　複数の人を紹介する

例　**紹介者Aが自社の関連企業B社と取引先C社を引き合わせる**

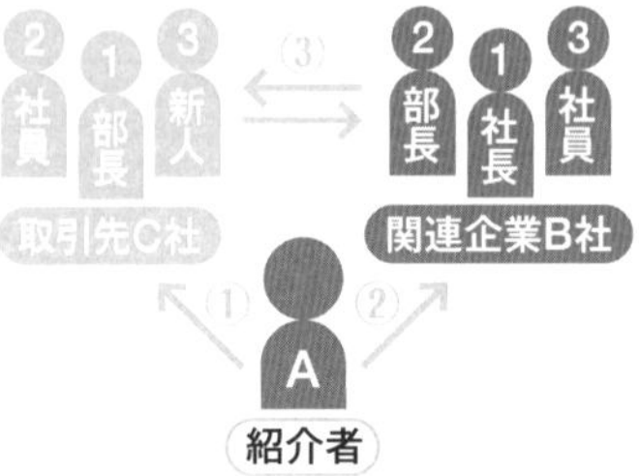

①Aは先に、C社にB社の人たちを紹介する
B社の社長、部長、社員の順。
②次に、B社にC社の人たちを紹介する
部長、社員、新入社員の順。
③B社とC社が挨拶を交わして、名刺を交換する

B社は、地位の高い人から、C社の部長、社員、新入社員の順に名刺を交換する。2つの会社の間に入って紹介する時は、自社とより密接な関係にある会社を「自社側」と考えて、自社の関連企業B社を先に紹介する。

ビジネスの作法　仲介を頼まれた場合

例　**Aが、他社のB社長に頼まれて取引先のC部長を引き合わせる**

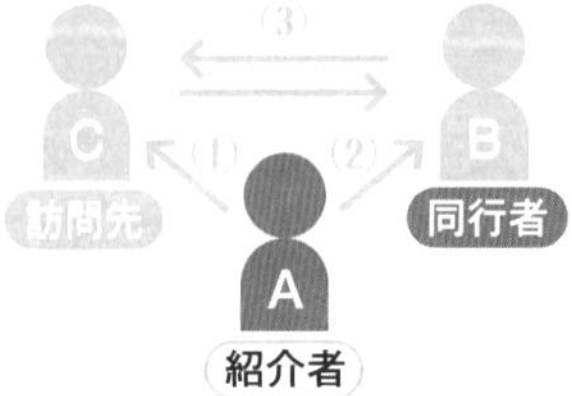

①先に、C部長にB社長を紹介する
②次に、B社長にC部長を紹介する
③B社長とC部長は挨拶を交わし、名刺交換をする

この場合、地位はB社長が上であっても、「立てたい人」はC部長。仲介を頼んだ人、あるいは同行者を先に紹介する。紹介する際に、B社長の人柄がわかるようなひと言を添えるのも仲介役の大切な役目。

○○社の社長、B様でいらっしゃいます。私が右も左もわからない新入社員時代にご指導いただいて以来のお付き合いです。

日本での握手の歴史は西欧文化の到来とともに始まった。幕末から明

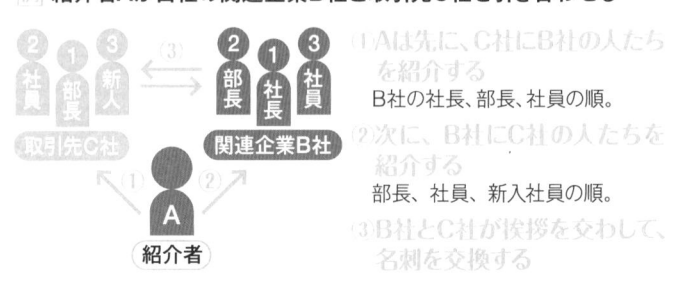

電話の作法 不可欠だからこそマナーが大事

携帯電話やスマートフォンは、ビジネスマンにとって欠かせない仕事の道具です。どこにいても、電話はもちろん、メールやインターネットまで利用できる便利さゆえに相手よりも自分の都合を優先させるような風潮が見受けられます。仕事でも日常生活でもなくてはならないものだからこそ、“人に迷惑をかけない”というマナー以前の常識を踏まえて利用するように心がけましょう。

固定電話／携帯端末 「通信ルール」の基本マナー

- 連絡先は相手の会社の固定電話が基本
- 携帯端末への連絡は、基本的に緊急時に限る
- 固定電話、携帯端末ともに時間帯を考えてかける
- 名刺に携帯端末番号が記載されていても、利用には相手の許可を得る
- 会議や接客中は携帯端末をマナーモードにしておく
- 携帯端末にかけた際は最初に相手の状況を確認する

電話の作法 時間帯別「気配りのひと言」

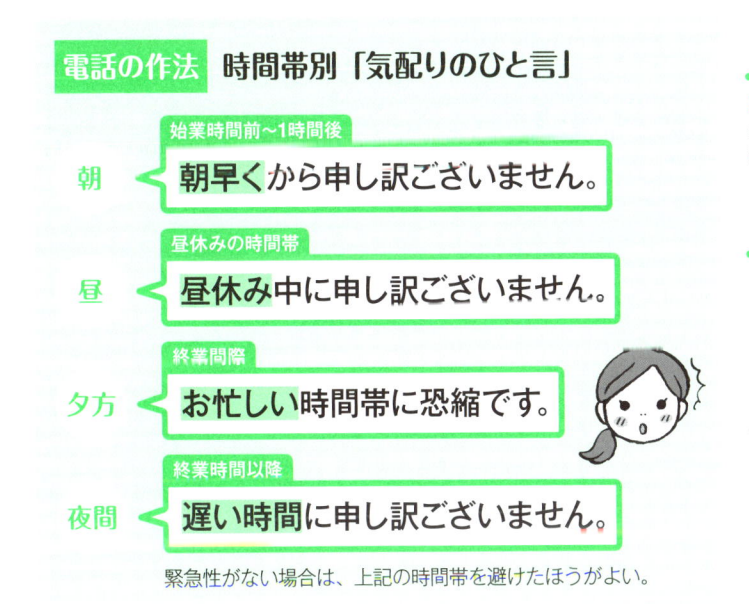

朝（始業時間前～1時間後）
朝早くから申し訳ございません。

昼（昼休みの時間帯）
昼休み中に申し訳ございません。

夕方（終業間際）
お忙しい時間帯に恐縮です。

夜間（終業時間以降）
遅い時間に申し訳ございません。

緊急性がない場合は、上記の時間帯を避けたほうがよい。

治初期に欧米に留学した若者が風習として取り入れたといわれる。

電話の作法　携帯端末にかける／受ける

例　緊急の用件で出張中の相手にかけた場合

○○社の△△です。
ご出張中に申し訳ありません。
急ぎご相談したいことがありまして……。
展示会で**ご出張中と伺って**、
こちらの番号にご連絡いたしました。

私が**お願いしたこと**ですから、
どうぞ気になさらず。

相手

少しお話ししてもよろしいですか？

今はちょうど休憩に入った
ところなので**10分ほどなら**
かまいませんよ。

相手

ありがとうございます。
2～3分いただければと思います。
それでは、早速ですが……

ビジネスでの電話連絡は、会社同士のやりとりです。個人の携帯電話への安易な連絡はマナーに反した行いと心得ましょう。相手から不在の際の連絡先として聞いている場合を除き、携帯番号がわかっていたとしても、緊急時以外は会社の固定電話へ連絡をします。

1行話し方教室　固定電話で通話を終了する際に気づかいを。通話が完全に切れたこと

電話の作法　かけた側が相手の都合に合わせる

例　相手が通話を続けられない状況にある場合

相手：10分ほどしたら、こちらから
ご連絡してもよろしいですか？

✕ それほど急ぎではないので、
時間がある時にまたかけ直します。

〇 それでは申し訳ないので、
明日、改めてご連絡差し上げます。

例　相手が移動中でかけ直してほしいと言われた場合

相手：まもなく社に戻ります。
恐れ入りますが、30分後くらいに
もう一度お電話いただけますか？

承知しました。ご連絡先は
営業部でよろしいですか？

相手：席を外していると申し訳ないので、
こちらの番号へお願いいたします。

やむなく携帯電話にかける場合は、まずは相手の状況を確認します。通話を続けるか、かけ直すか、相手の都合を最優先しましょう。

を確認して、空いているほうの指でフックを押さえ、受話器を置く。

ビジネスの作法 “伝わる”会話力を鍛える

会社の規模や業種にかかわらず、ビジネスを根底で支えているのは、人と人とのやりとりです。自分が言いたいことを正確に伝え、人にわかってもらえる話し方をすることは、ビジネスの“技術”の一つであるとともに、社会人が身につけておくべき“常識”といえるでしょう。

そして、会話力と合わせて、人との関わりの中で仕事をするうえで欠かすことのできない“6ヵ条”というものがあります。略して「ホウレンソウ」と「ソーセージ」。「基本中の基本」ですから、挨拶と同じように“誰かに言われてから”でなく、“いつも自分から先に”を心がけましょう。

ビジネスの作法 仕事の心得6ヵ条

いつも自分から先に ホウ・レン・ソウ

ホウ 報告
業務や作業の進み具合や結果、ミスを上司に知らせること。
ミスに気づいたら、隠さずに報告する

レン 連絡
業務や作業の進行に欠かせない情報を関係者に知らせること。
関係する人、部署にはすべて連絡する

ソウ 相談
アドバイスが必要な際に、上司や同僚などに意見を求めること。
勝手に処理せず、上司に相談して指示を仰ぐ

何事も心構えは ソー・セー・ジ

ソー 早急
やらなければならないことは、できる限り早く対応する。
先延ばしにしないで早急に行う

セー 正確
必要なのは正確な情報に基づいた、客観的な判断。
憶測や感情を交えずに、事実を正確に把握する

ジ 時機
常に「今これをやるべき」と判断して仕事に取り組む。
時機（タイミング）を逸しない

1行話し方教室 名前を聞く時に「頂戴します」は間違い。聞く時は「伺えますか」、

会話力を磨く　わかってもらえる「話し方」3つの原則

相手に興味、関心を持つ　同調、共感から互いに信頼感、親近感が生まれる

わかりやすい言葉を使う　自分の言いたいこと、気持ちが、相手の心に届く

想像力を働かせる　相手がどう思っているのかを把握することで理解が深まる

社会の中で人と交わり、ともに生活していくために必要な能力を「ソーシャルスキル」あるいは「ライフスキル」といいます。会話力も、その一つ。“スキル”とは“技術”、生まれつきの才能が備わっていたとしても磨かなければさびついてしまいます。一人の人間として成長するためにも会話力に磨きをかけましょう。

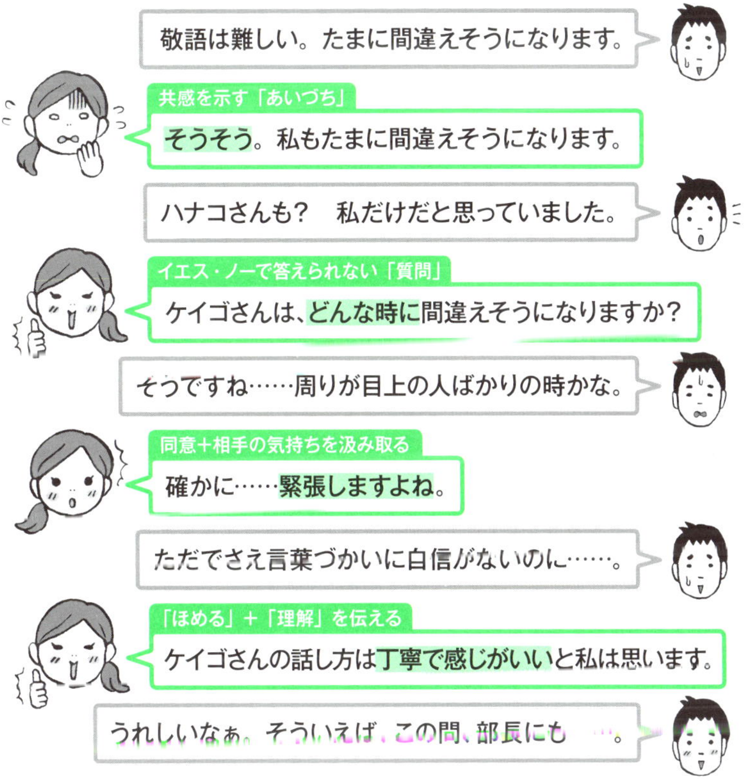

敬語は難しい。たまに間違えそうになります。
共感を示す「あいづち」
そうそう。私もたまに間違えそうになります。
ハナコさんも？　私だけだと思っていました。
イエス・ノーで答えられない「質問」
ケイゴさんは、どんな時に間違えそうになりますか？
そうですね……周りが目上の人ばかりの時かな。
同意＋相手の気持ちを汲み取る
確かに……緊張しますよね。
ただでさえ言葉づかいに自信がないのに……。
「ほめる」＋「理解」を伝える
ケイゴさんの話し方は丁寧で感じがいいと私は思います。
うれしいなぁ。そういえば、この間、部長にも……。

まずはふだんの会話の「あいづち」と「質問」で“聞き上手”を目指そう。

会話力を磨く わかりやすい言葉を選ぶ

●難しい言葉は使わず、やさしい言葉で話す

× 一意専心の思いで刻苦勉励いたしました。

○ 私なりに精一杯の努力を積み重ねました。

●実感しにくいことは身近なことで具体的に表現する

× 約7万坪の広大な敷地です。

○ ○○スタジアム5つ分、約7万坪の敷地です。

●専門用語や社内用語は相手に合わせて使う

× 町内会の花見はオンスケです。

○ 町内会の花見は予定通りです。

●カタカナ言葉は多用しない

× リッチなシルバーエイジのニーズにフィットしたアメニティグッズです。

○ ゆとりのある生活を楽しむ方々のご要望に応えた、快適さを追求した生活雑貨です。

1行話し方教室 尊敬語は「相手がすること」に対して使う。「猫を何匹飼っていらっ

会話力を磨く　弾まない会話の理由と対策

例　付き合いの浅い取引先の人との雑談

夏休みに、家族で北海道へ行ったんですよ。

NG①　話題の横取り

× 私は何度も行ったことがあります。とくに函館は夜景がきれいで……

私たちは、札幌から車で……

NG②　相手の話をさえぎる

× 札幌もよく行きます。ジンギスカンがおいしい店を今度ご紹介しますね。

実は、子ども達が羊の肉が苦手でして。

NG③　否定的で失礼な決めつけ

× 好き嫌いは直したほうがいいですよ。

……（偉そうに。感じ悪い人だなぁ）

- NG①対策　相手の話が発展するような質問をする。

北海道のどちらに行かれたんですか？

- NG②対策　話題を相手が話したい方向へ。この場合は「家族旅行」。

札幌はアイスクリームがおいしくて。

- NG③対策　発展性のない話もひとまず同意して話題を変える。

私もそうでした。そういえば、子どもの頃……

しゃるのですか？」は正しいが、「猫が何匹いらっしゃるのですか？」は間違い。

会話力を磨く 話す時の速度も大事

アナウンサーは、1分間に300字から400字くらいを目安に原稿を読むといわれています。ニュースのように即時性と的確さを印象づけたい場合は、380字から400字。やや速いスピードで読み上げるために、一つの文章の長さも、標準の45字よりやや短めになっています。

スピーチや会議で企画発表をする場合は、もう少しゆっくり話すとよいでしょう。1分間に300字から400字、原稿用紙1枚分くらいが目安です。

上の四角で囲まれた部分の文章は、約200字、原稿用紙半分ほどです。これを40秒で読み上げれば、スピーチやプレゼンでの話し方にふさわしいややゆっくりめの速さ。30秒ならニュースのアナウンスのように機敏な印象になる速さです。話の内容によって、速度に緩急をつけるのもよいでしょう。ぜひ練習してください。

雑談の作法 話題に困った時の「きどにたてかけし衣食住」

き	季節・気候	当たり障りのない話題としてよく使われる。
ど	道楽	趣味や好きなこと。話題転換の質問にも使える。
に	ニュース	経済はOK。政治、宗教は避けたほうが無難。
た	旅	自分が話す、相手に話をふる時にも使える。
て	天気・テレビ	共通の話題が見つかりやすいジャンル。
か	家庭・家族	相手が乗ってこない時はすぐに話題を変える。
け	健康	あくまで軽く、病気や美容関連の話は要注意。
し	仕事	取引相手ならふだんは聞けない情報収集のチャンス。
衣	ファッション	女性が相手なら男性の知ったかぶりは禁物。
食	食べ物・グルメ	季節・気候に次いで万人向きの話題。
住	住居	出身や住んでいるところは相手が言うまで質問しない。

6章

困った時のものの言い方

切り出しにくい頼み事。つい口から出たひと言で
相手をさらに怒らせてしまった時のお詫びの言葉。
上司や先輩のミスを指摘する時。
仕事の「困った！」は、人間関係が気まずくならない
「ものの言い方」で乗り越えましょう。

頼み事の「困った！」 謙虚な姿勢を言葉でも表現

人にものを頼む際に、いきなり話を切り出すのはとても失礼なこと。相手が誰であれ、お願いをする側として言葉づかいは丁寧に。また断られたとしても、お互いに後味が悪くならないように、話を聞いてくれたことへの感謝の気持ちを言葉にして伝えましょう。

頼み事をする時の“〇と×6ヵ条”

〇 なぜ頼まなければならないのか、その状況と理由を明確に伝える
〇 頼み事をする際は相手の都合を優先し、タイミングを見計らって切り出す
〇 相手を思いやる気持ちをきちんと「言葉」にする

× 「やりたくない」「面倒だから」など自分勝手な理由だけで人にものを頼む
× 余力がある、できる限りのことをする前に、安易な気持ちで頼み事をする
× 引き受けてくれた人への感謝がない。断られたらお礼さえ言わない

頼み事の基本フレーズ 丁寧な言い回しで

× （頼みたい用件）**してください**。

× **すみませんが**、（頼みたい用件）**してもらえますか**？

〇 **恐れ入りますが**、（頼みたい用件）**お願いできませんでしょうか**？

〇 **申し訳ございませんが**、（頼みたい用件）**いただいてもよろしいでしょうか**？

1行話し方教室 「いただく」は「もらう」の謙譲語。頼み事をする際は、たとえ自

頼み事の基本フレーズ　相手に声をかける時

× あの〜、ちょっといいですか？

× 今ヒマですか？

○ 今ちょっとよろしいでしょうか？

○ 今少しお時間いただけますでしょうか？

仕事の手伝いを頼むのに「ヒマ」は禁句

相手が後輩で自分が気軽に頼める立場でも、仕事の手伝いを頼む際に「ヒマ」という言葉は使わないこと。また「○○してもらえますか？」という言い方も、頼む側としての気づかい、丁寧さに欠けるので好ましくありません。

頼み事の基本フレーズ　タイミングがわからない時

○ お忙しいところ、申し訳ありません。
お手すきの時にお声をかけていただけますか？

○ ご相談したいことがあります。
あとで少しお時間いただいてよろしいですか？

緊急性が高い場合を除いて、上司や先輩、目上の人には、相手が忙しそうに見えなくても、事前に打診することが大事。相手の都合がよければ、その場で話を聞いてもらえることもあるので、資料などが必要なら用意しておく。

分が上の立場でも、謙譲語を使うことで相手に対する気づかいを示す。

頼み事の基本フレーズ 重要度別 丁寧な言い回し

「できれば……」の軽いお願い 重要度 ★☆☆

お手すきの時にでも、（頼みたい用件）いただけると助かります。

「お手すき」は「ヒマな時」の婉曲表現。急ぎの用件ではない場合や、断られてもいい軽いお願いをする時に。

お引き受けいたします

協力やアドバイスを求める時 重要度 ★★☆

お力添えいただけませんか？

取引先や上司、同僚などの協力やアドバイスを求める際は、必ずこのひと言を添える。

丁寧さが大切！

協力を頼む際の改まった表現 重要度 ★★☆

ご検討いただけませんか？

相手が受けてくれる方向で「考えてもらえませんか？」と言いたい時のより改まった言い回し。

前向きに検討します

ぜひ引き受けてほしい 重要度 ★★★

ご配慮いただけないでしょうか？

「ご検討いただけませんか？」よりも重要な頼み事で、引き受けてほしい気持ちが強い時に。

懇願する気持ちが強い 重要度 ★★★

ご理解のほど、どうぞよろしくお願いいたします。

どうかよろしくお願い申し上げます。

「どうぞ」は、依頼やお願いの気持ちを丁寧に表す語。「どうか」は、より強い依頼の気持ちを表す。

1行話し方教室 頼み事は、相手に返事をもらったあとが大事。感情的になるとその後

頼み事の基本フレーズ　面倒・無理なことをお願いする時

用件を切り出す前に

無理を承知で申し上げるのですが、

誠に勝手なお願いと存じてはおりますが、

とくに取引先への頼み事は「誠に勝手な～」とより丁寧な言い回しで。

相手に断られた時

× お断りになる理由がわかりません。○○さんならたやすいことでしょう？

× やっぱり無理ですよね。最初からわかってはいたんですが……。

無理なお願いをしておいて、相手を軽く見るようなことや責めるようなことを言うのは非常に無礼なこと。

○ 面倒なことをお願いしたのですから、お気になさらないでください。

○ 無理を承知でお願いしたことです。お気をわずらわせてかえって申し訳ございません。

相手への気づかい、感謝はきちんと示す。そして、最後にお礼を。

話をお聞きくださったことに感謝しています。ありがとうございました。

の付き合いに悪影響が。断られても、あくまで低姿勢かつ謙虚な気持ちで。

断る時の「困った！」 ソフトにはっきり意思表示

会社の利益や運営に関わるようなことは、どんな些細なことでも即決しないで上司に報告するのが基本です。食事に誘われた時などは、私的なお付き合いという前提であれば自分の意思で決めてよいでしょう。ただし、どちらの場合も、断る時は、穏やかな言葉で、誤解が生じないようにはっきりと意思表示します。明らかに理不尽なことや、犯罪につながるような怪しげな誘いでない限り、「いいえ」「できません」といったストレートなもの言いは避けたほうが賢明です。

断る時の必須3ヵ条

- 相手に気をもたせるようなどっちつかずで曖昧な表現や言い方はしない
- 断る理由をきちんと伝え、できれば代案を提示する
- 断ることを前提に話を聞かない。結果的に断るにしても話は最後まで聞く

断る時の基本フレーズ 誤解されやすい断り方

× ごめんなさい。
忙しくて今はできません。

「忙しい」「時間がない」は断る理由としては説得力に欠ける。「今はできません」と言われた相手は「手が空いた時ならいい」と都合よく解釈する可能性が大きい。

× あー、ちょっと……う～ん、
無理かもしれません。

心苦しさから口ごもってしまうことが、相手にとっては都合がよく、強引に引き受けさせられたり、場合によっては悪事に巻き込まれる危険性もある。

× すみません。できる限りのことは
するつもりですが……。

頼む側は、どうしても自分に都合よく受け取ってしまうもの。「すみません」は、さまざまな解釈ができる言葉。本人は断ったつもりでも「できる限り～」と続くことで相手は遠回しに承諾したと思い、誤解が生じる。

 1行話し方教室 親しい間柄でもどっちつかずの断り方は失礼。「考えておく」「何とか

断る時の基本フレーズ　申し出を丁寧に断る

例　開封後の商品を正当な理由なく取り替えてほしいと言われた

× 当店では、お取り替えは
ご遠慮いただいております。

「ご遠慮いただく」は、禁止行為をやんわりと注意する時などに使う言葉。この場合は「できない」という意思を丁寧な言い回しではっきりと伝える。

○ 申し訳ございません。
私どもではお取り替えはいたしかねます。

例　取引先の人からの贈り物を断る

× 差し障りがありますので、
いただくわけにはいきません。

先方に何か意図があったとしても好意を無にするような言い方はNG。

○ お気持ちだけありがたくいただきます。

例　取引先との契約の交渉を打ち切りたい

× この件はなかったことにしましょう。

ストレートな断り方は、今後の取り引きにも影響する。こちらの「申し訳ない」という気持ち、次の機会への前向きさが十分に伝わるような言い方に。

○ ご期待に添えず残念です。
この件については
一旦白紙に戻させていただきたいのですが。

する」という返事は、相手の貴重な時間を奪っているのと同じと考えよう。

断る時の基本フレーズ　誘いを穏便に断る

例 会社に出入りする業者のしつこい勧誘を断る

> 熱心に説明していただいたあとで
> **お断りするのは心苦しいのですが**、
> 実は、**親戚が同業者**なのです……。

例 取引先からの過分な接待を断る

> お世話になっているのは**私どものほう**ですから。
> **次にお願いしにくくなりますので**、
> どうか**ご勘弁ください**。

例 ごちそうしたいという取引先からの誘いを断る

> ○○さんにごちそうになっては、
> 私が**上司に怒られてしまいます**。
> **今日のところは割り勘で**お願いします。

例 退職して事業を始めた元同僚の誘いを断る

> ありがたいお話ですが、私では**力不足**です。
> でも、**私でお役に立てることがあれば**、
> いつでも**声をかけてください**ね。

お付き合いが続く人には角が立たない断り方を

個人的な誘いでも仕事関係の付き合いが絡むと断りにくいもの。気がすすまないのが本音でも、理由は自分側の事情ということに。言葉通りに受け取られるかどうかは別として、それが気づかいだと理解してもらえるはずです。

1行話し方教室　自分の実力を控えめに表現するのが「力不足」、与えられた役割が自

断る時の基本フレーズ　無理な頼み事を断る

例　担当取引先への訪問時、先方の提案に即答を求められた

× 私はお返事できません。上司に直接聞いていただいたほうが早いです。

○ 本日伺ったお話は、一旦社に持ち帰らせていただいてよろしいでしょうか？
上の者とも相談のうえ、
改めてご連絡申し上げます。

「上司に直接～」では何のための担当なのか、と思われる。取引先に不安を抱かせてしまうような言い方は注意が必要。

例　新規取引先から無理難題を持ちかけられた

× 時間、予算……思いついただけでも、この件は、物理的に難しいかと思います。

「物理的に難しい」は、ビジネスマンが断る時の常套句。現実的に不可能というニュアンスが伝わればよいが、年配者には避けたほうが無難。とくに付き合いの浅い人には、丁寧でオーソドックスな言い方を。

○ ご期待に添えるかどうか、今伺った限りでは、難しいところではありますが……。
上司を交えて前向きに検討いたします。

例　相手に「私の顔を立てて」とその場で決断を迫られた

どうかご無理をおっしゃらないでください。
○○さんは、これからも長いお付き合いをお願いしたい方と思っています。

言葉は丁寧でも、時には毅然とした態度できっぱりと断りの意思を示すことも大切。

分の実力には軽いと主張したい時は「役不足」。間違えると正反対の意味に。

断る時の基本フレーズ　上司からの頼み事を断る

例 前任者が投げ出した難しい仕事を頼まれた

× こんなに難しい仕事、私にはできません。

安請け合いした結果、信用を失うよりはいいけれど、上司が期待していてくれる気持ちを汲み取ることも大切。

○ 私には、荷が重すぎます。
残念ですが、辞退させていただきます。

例 上司にすすめられた縁談を断りたい

お気にかけてくださってありがとうございます。
ただ今は仕事が楽しくて……。
もうしばらく仕事に専念させてください。

上司が縁談をすすめるのは、仕事ぶりや人格を評価してのこと。その気持ちに感謝して、品よくスマートに断るのが礼儀。

例 急な出張が入った部長の代わりに取引先の接待を頼まれた

× 今日の明日では、あまりに急で……。
○○さん（取引先）は、部長の担当で、
私はお会いしたことがありませんし……。

押し付けられたとわかっていても、グチを並べるだけでは問題は解決しない。引き受けられないなら、まず代案を示し、一緒に解決する姿勢を見せよう。

○ ○○さんは、部長と飲むのを楽しみにしていらっしゃるそうですね。
よろしかったら、日にちをずらしてくださるように頼んでみましょうか？

1行話し方教室 「木で鼻を括る」は、冷淡で素っ気ない態度のたとえ。昔、商家では

断る時の基本フレーズ　断る理由がない時の「理由」

お酒

苦手な人からお酒の席に誘われた時、「お酒が飲めない」と言っても、「ソフトドリンクがあるから付き合いなさい」としつこく誘ってくる場合は、このひと言を。

> **勝手言って申し訳ありませんが、**
> **お酒の匂いをかぐだけでつらいんです。**

先約

たとえば取引先の人からゴルフに誘われた時、「今月のご予定は？」などと先に相手に聞いてみる。そして……。

> **お互いの都合が合う日がない……。**
> **○○さんは、プライベートも充実してますね。**
> **残念ですが、今月は見合わせましょう。**

仕事

誘ってくれた相手や、集まる顔ぶれが苦手。そんな時は本音を言って相手を不快にさせるより“嘘も方便”。気乗りがしないプライベートの誘いは「仕事」を理由に断る。

> **その日は仕事でどうしても動かせない予定があって、申し訳ありません……。**

体調

苦手な人ではないけれど、どうも気がすすまないという時は、体調不良を理由に断るのがベター。次に会った時は、「すっかり元気になりました」のひと言も忘れずに。

> **風邪の引き始めらしくて……。**
> **今日は家でおとなしくしています。**
> **お誘いくださってありがとうございます。**

使用人に紙を使わせず木の棒で鼻水をこすらせていたことに由来。

お詫びの「困った！」 言葉を慎重に選ぶ

謝罪する側は、あくまで低姿勢で誠意を示すべきですが、言葉は慎重に選ぶこと。うっかり口にしたことがもとで相手の怒りが増したり、言質を取られて追い込まれたり、とかく感情的になるといいことはありません。

お詫びの「困った！」 お詫びは最低でも3回

電話

問題が起きた時はまず電話でお詫びの気持ちを伝える。

申し訳ございません。

「申し訳ありません」の、相手に対する敬意の度合いが高い表現。電話で最初に謝罪する際は、シンプルな言葉で簡潔にお詫びの気持ちを伝える。

文書

事の重大さによっては、メールではなくお詫び状、謝罪文を送る。

深くお詫び申し上げます。

「申し訳ございません」よりさらに敬意が高いが、話し言葉としては少し堅苦しいので、どちらかというと文書に向いている。

訪問

遠方であってもできるだけ早く訪問し、相手と直接話すことが大事。

申し訳ございませんでした。

誤用ともいわれるが、ビジネスシーンでは「相手への訴えかけを強める」お詫びの言葉としてよく使われる。（※96ページ参照）

簡潔に、丁寧な言葉で誠意を伝える

敬語の使い方を間違えたり、ふだんのくだけた言葉づかいが出てしまうようでは、お詫びの気持ちはきちんと伝わりません。お詫びをする前に、話す内容を整理して、正しい言葉づかいで話せるか確認しておきましょう。

1行話し方教室 話す時は立ち位置も重要。情報を正確に伝えたい時は、相手の正面に

お詫びの「困った！」 相手を怒らせるお詫び

例 納入した製品が破損していたと取引先から連絡があった

× かしこまりました。
すぐに新品と交換いたします。

新品と交換するのは当然のこと。お詫びの言葉も反省もないようでは、相手を怒らせるばかりか今後の取引にも影響しかねない。

○ ご迷惑をおかけして申し訳ございません。
以後気をつけますので、
今回はご容赦いただけませんでしょうか？
新品との交換は、至急手配いたします。

例 取引先から請求書の金額が間違っていると指摘された

× 大変失礼いたしました。
経理のミスだと思いますが、
とりあえず担当の私あてに
ご返送いただけますか？

自分がチェックを怠ったか、間違いを見逃したことを棚に上げて、他者に責任転嫁しては担当として信頼されない。言い訳がましさも相手には不快。

○ 私の不手際です。
お詫びの申し上げようもございません。
大変勝手ではありますが、
正しい額面の請求書を送らせていただきます。
よろしいでしょうか？

立つとよい。

お詫びの「困った！」 咄嗟のお詫び 基本フレーズ

例 訪問先で自社製品に関する質問に答えられなかった

申し訳ございません。
勉強不足でお恥ずかしい限りです。

初回限定の謝り方。毎回“勉強不足”では通用しない。次回は、きちんと答えられるように“勉強”しておくことが前提。

例 取引先に通知した見積金額が上司から聞いたものと違う

大変失礼いたしました。
私が考え違いをしておりました。
間違いが**あってはならないこと**ですので、
お見積金額は、念のため確認して
改めてお知らせいたします。

間違いを指摘されたら、ひとまず「私の考え違い～」で切り抜ける。行き違いがあった可能性もあるので、上司に確認するまでは、どちらが正しいのかは断言しない。

例 取引先から、予定より早い納入で倉庫に入らないと連絡があった

こちらの心得違いで、
午前中着で手配しておりました。
ご迷惑をおかけして
大変申し訳ございません。
今からでは遅いかもしれませんが、
私どもにできることが
何かありますでしょうか？

「心得違い」は「勘違い／思い違い／誤解」の遠回しで丁寧な表現。ミスの原因がはっきりしていない場合は「心得違い」、原因が明らかに自分側にあれば「不手際」を詫びる。

1行話し方教室 正面で向かい合うと威圧されそうな相手と話す時は、斜めの位置に立

お詫びの「困った！」 ミス・失敗のお詫び 基本フレーズ

例 初めての訪問先で、名刺を忘れたことに気づいた

**あいにく名刺を切らしております。
大変申し訳ございません。**

先に断って相手の名刺を受け取れば、「名刺を忘れた」とは印象が違ってくる。名刺を支給されていない場合もこの言い方で。
名刺を渡せなかった時は、
①口頭で社名と自分の名前をはっきりと告げる。
②後日、名刺を郵送する。あるいは、相手の名刺に記載されたメールアドレスに「社名・部署名・氏名」を明記し、お礼の言葉を添えてメールを送る。

例 書類のミスを上司に指摘された

**面目ありません。
今後は不手際のないよう注意いたします。
ありがとうございました。**

「面目《めんぼく》ない」は「顔を向けられないほど恥ずかしい」の意味。言い訳をしないで、素直に自分のミスを認めることが大切。目上の人にミスや失敗を指摘された時は、
①素直に謝る。②反省を示す。③お礼の言葉を述べる。

例 取引先とのトラブル発生を上司に報告する

**お叱りを覚悟で、
お話ししなければならないことがあります。**

↓ 事情や経緯を話す。

**もっと早くご相談申し上げるべきでした。
厚かましいお願いですが、
ご助言いただけないでしょうか？**

つと、お互いの緊張感がやわらぐ。

電話の「困った!」 相手をいらだたせない話し方を

会社の代表番号などに問い合わせでかけてくる人の大半は、用件の重要性や緊急性に関係なく“急いで”答えを求めています。「しばらくお待ちください」と言われても、受けた側とかけた側の“時間の感覚”が違えば、ほんの数秒ほどでも「待たされた」と感じる人もいます。

また1回の通話で、電話口に出る人が二度、三度と替わると、きちんと対応するためであっても、相手は「たらい回しにされた」と受け取る場合も。電話でのトラブルを防ぐには、もし自分がこう言われたらどう感じるだろうと考え、できる限り相手の気持ちに寄り添った対応が必要です。

電話の「困った!」 “時間”の上手な伝え方

× あいにく担当者がおりませんので、
お手数ですが、**のちほどおかけ直しください。**

問い合わせや苦情の電話で相手を20秒以上待たせるような時は、折り返し連絡することを伝えて、通話を一旦終わらせる。

連絡できる時間のメドがたたない場合

恐れ入ります。**のちほどこちらからご連絡**
差し上げたいと存じますが、
何時頃が**ご都合よろしいでしょうか**?

連絡できる時間のメドがたつ場合

○分後に、こちらから
ご連絡差し上げてもよろしいでしょうか?

連絡する時間は、こちらが可能な時間より遅めに伝える。

例 「可能な時間」と「伝える時間」の目安

可能な時間 20分後 → 伝える時間 30分後
可能な時間 30分後 → 伝える時間 1時間以内
1時間以上になる場合は、相手の希望する時間に連絡する。

1行話し方教室 親しい人との会話やリラックスした雑談の時は、横に並ぶと打ち解け

電話の「困った！」 “待たせない”時間の伝え方

例 修理の依頼。10時から12時の間に担当者が訪問する

× 修理の担当者が、午前中に伺います。

「午前中」は、幅がありすぎて心理的に「待たされた時間」が長くなる。

× 午前10時から昼12時の間に、
修理の担当者が伺います。

相手は10時から待ち始めるので、時間内でも12時になった場合は「2時間待たされた」という気持ちになる。

○ 遅くてもお昼の12時までには、
修理の担当者が伺います。
前の工事が早く終了しますと、
もう少し早く伺えますが、その場合は、
ご連絡差し上げるようにいたします。

「幅のある時間」を言う時は「後ろの時間」を基準に。「前の工事～」と時間を確約できない理由を伝えておくことも大切。

例 取引先と工場見学へ。当日迎えにいく時間を伝える

× 朝7時に、ご自宅の前で車を停めて
お待ちしております。

○ 朝7時にお迎えに上がります。
ご自宅前で電話いたしますので、
どうぞよろしくお願いいたします。

送迎や待ち合わせも、電話と同様に「待たせる」時間がなるべく短いように工夫を。

て話ができる。

電話の「困った！」“不在の人”への取り次ぎ方

例　出張中の山田部長あてに「知り合い」と名乗る人からの電話

あいにく**山田は外出**しております。
お急ぎのようでしたら、山田から
ご連絡差し上げるようにいたしますが……、
いかがいたしましょう？

上司から指示がない限り、出張先、期間を部外者に教えないこと。

例　入院中の同僚・佐藤あてに個人名だけを名乗る人からの電話

× **佐藤は入院中で**、まだ**1ヵ月**は
出社できないと聞いておりますが……。

○ 申し訳ございません。
佐藤は外出しておりますので、
よろしければ**私がご用件を承ります**。

意図的に社名を名乗らず「知り合い」と思わせることで、情報を得ようとする悪質なセールスの手法もあるので要注意。入院や休暇など、個人的なことはうかつに他言しないこと。この場合、用件を聞いて、入院中の同僚の業務に関係することであれば、上司に報告して指示を仰ぐ。

例　外出中の同僚あてに「急用なので携帯番号を教えてほしい」との電話

○ **至急本人と連絡を取りまして**
お電話いたします。**ご用件と**
ご連絡先を伺えますでしょうか？

用件は話せないと言われたら、名指しされた人に連絡を取り、そのまま伝える。実際に急を要する案件でトラブルが起きたとしても、それは連絡を怠った本人の責任になる。

1行話し方教室　「数字」は、相手に伝える時や復唱する際に、たとえば「17」なら

電話の「困った!」 かける／受ける 用件の伝え方

例 電話をかける／金額や数量、商品名など複雑な内容を伝える時

× 少し長くなりますので、
メモのご用意はよろしいでしょうか？

○ 少し長くなりますが、
これから申し上げてよろしいでしょうか？

「メモのご用意～」は心配りのようで、受け取る側によっては押し付けがましい「指示」にもなる言い方。「申し上げてよろしいでしょうか？」と確認すれば、メモを用意していない場合は相手が待ってほしいと言うはず。

例 電話を受ける／相手に伝えたいことを思い出した時

× **ご連絡いただいたついでに**
〇〇の件でお話ししていいですか？

○ **いただいたお電話で恐縮ですが**、
〇〇の件で、少しお話ししても
よろしいですか？

「ついで」はぶしつけなので「いただいたお電話」と丁寧な表現に。

例 電話を受ける／会議中の山田部長に急ぎ取り次ぎを頼まれた時

○ よろしければ、**私がご用件を伺って**、
山田の手が空き次第、
ご連絡差し上げるようにいたします。

部署外の人に「会議中」は伏せておくのが原則。「席を外している」などとして代わりに用件を聞く。上司に伝える際は、口頭ではなく、相手の名前と要旨を書き留めたメモを渡すようにする。

「ジュウシチ」でなく「ジュウナナ」とわかりやすく、ゆっくりと発音する。

苦情の「困った！」 クレーム対応の話し方

顧客窓口の専門部署では、迅速かつ適切な対応をするために研修を受けますが、社員の一人として、また社会人としても、基本的なクレーム対応の仕方は心得ておきましょう。クレーム対応でも、通常の電話応対と同じように、話し方の基本は「敬語」と「丁寧な言い回し」。双方によい結果が出せるように、まず話をきちんと聞いて、お互いに冷静に話し合う雰囲気を作ることが大切です。

苦情の「困った！」 クレーム対応の手順

①相手の話を最後まで聞く

おっしゃる通りです。私もそう思います。

対面・電話どちらの場合も、「あいづち」や「うなずき」で、相手に対する理解や共感をはっきりと示す。たとえ相手に誤解があっても、途中で口を挟んだり、反論したりせずに、要点をメモに取りながら話を最後まで聞く。

②ときどき要約して相手の意図を確認する

～ということでよろしいでしょうか？

相手が感情的になっても、こちらがむきになると話がこじれてしまうので注意。同意や共感を示しつつ、話を要約して質問する形で、相手の意図を確認する。

③「お詫び」＋「お礼」の言葉を述べる

○ ご不快な思いをおかけして、
申し訳ございませんでした。
貴重なご意見をありがとうございます。
必ず何かの形で反映させていただきます。

このあと、クレーム内容によって担当者に取り次ぐ。その際は、相手が同じことをくり返し話さなくてすむように、メモに書き取った要点を担当者に伝えること。

 1行話し方教室 「ご査収」は「よく調べたうえで受け取ること」。書類などを相手に

苦情の「困った！」 5W3Hでメモを取る

話の要点をつかむポイントは5W3H。要点をメモしておくと、相手への理解が深まり、担当者に取り次ぐ際に、クレーム内容を簡潔に伝えることができます。

5W3H	意味	相手に聞く時（例）
Who	だれが	どなたがお使いでいらっしゃいますか？
What	なにを	どのようなものでございますか？
When	いつ	いつお求めになりましたか？
Where	どこで	どちらでお求めになりましたか？
Why	なぜ	どういった点でお困りでいらっしゃいますか？
How	どのように	どのようにお使いになっていらっしゃいますか？
How many	どのくらい	どのくらいの量を、ご使用になっていますか？
How much	いくら	※金額などの数字は必ずメモする。

苦情の「困った！」 クレーム対応の“言ってはいけない”

反論　「ですが／でも」という言葉が最初にくると、続く話が肯定的であっても、相手は否定された、反論されたと受け取ってしまいがち。

× ですが、
お客様のおっしゃることは……。

言い訳　こちらの言い訳は、相手にとっては“自己弁護”に聞こえる。事実誤認があれば、メモに書き留めて、担当者から説明してもらう。

× 私どもとしては、
十分に注意したうえで……。

失言　相手が急に穏やかな口調になった時は要注意。こちらを安心させて失言を誘う、悪質ないたずらや嫌がらせの場合も。

× お客様のように、物わかりのいい方
ばかりだとよいのですが……。

直接渡す際は「ご確認ください」でよい。

苦情の「困った！」 クレーム対応の基本フレーズ

まず「お礼」

ご連絡をいただき、
誠にありがとうございます。

「○○のことで～」など自社に関する問い合わせであることがわかったら、「お電話」でなく「ご連絡」に対してお礼を述べる。

次に「お詫び」

お手間をとらせてしまって、
申し訳ございません。

これから話を聞く段階でクレーム内容についての「謝罪」は早計。電話をかけてくれた「手間」、相手が感じた「不満」「不快」についての「お詫び」にとどめる。

不満 ご不便をおかけして　**不快** ご不快な思いをおかけして

話を聞いたあとの確認

恐れ入りますが、○○は今お手元に
ご用意いただいていますでしょうか？

「○○」には、製品や伝票、請求書など苦情の原因になったものが入る。従業員の対応、業務上の不手際など「状況」が原因の場合は、「～ということでよろしいでしょうか？」と相手の話を要約して確認する。

交換・修理・補修をする場合

お手数ではございますが、
○○を着払いで弊社まで
お送りいただけませんでしょうか？

「○○」には、苦情の原因になったものを「お手元にある商品」「額面に間違いがある請求書」などなるべく具体的に入れる。「着払い」は、取引や販売時に提示した規定で相手が負担する場合は不要。修理・補修に担当者が出向く場合は「修理の担当者が伺います」などと伝え、相手の都合を聞く。

1行話し方教室 「口達者」という表現には嫌味のニュアンスが感じられるので「話術

苦情の「困った！」 クレーム対応の“ここが大切”

即対処できない場合の判断　　重要度 ★★★

× 申し訳ございませんが、
こちらでは対応できませんので、
担当部署におつなぎいたします。
しばらくお待ちください。

○ 恐れ入ります。
少々お時間を頂戴したいのですが、
こちらからお電話を
差し上げてもよろしいでしょうか？

クレーム対応は、話を聞いたあとの判断が大切。最初は単に「問い合わせ」だった場合でも、電話応対者が待たせたり、たらい回しにしたりすることで、対応そのものが「クレーム」の原因になってしまうことも多い。次の場合は「折り返し連絡」の判断を。

- 担当者が不在でクレーム内容について適切に対応できない
- 回答のための調査、社内での相談、検討などに時間が必要

相手の名前や連絡先を尋ねる時　　重要度 ★★☆

× それでは、**ご住所、お名前、昼間のご連絡先を教えていただけますか？**

○ 恐れ入ります。**調査のためにいろいろとお尋ねしても**よろしいでしょうか？

個人から苦情を寄せられた場合、いきなり名前や住所、電話番号を尋ねるのは失礼。「調査のために」と最初に尋ねる理由を明らかにしておく。

が巧み」という意味でほめ言葉に使うのは不適切。

オフィスの「困った!」 人間関係は“言葉”で変わる

乱暴な言葉や、粗雑なもの言いは、本人の品格や知性だけでなく、その言葉を向けた相手をどう思っているかも表します。相手を不快にさせない「言葉づかい」は、敬語を使いこなすこと以上に社会人が身につけておくべき常識です。

子どもっぽい言葉づかいや、職場には不適切な言葉を使って評価を下げてしまわないように、社会人としての「正しい言葉づかい」を身につけましょう。

オフィスの「困った!」 改めるべき話し方の“悪いクセ”

幼稚な返事

× うん、わかりました。

「うん」は子どもっぽく、敬意がまったく感じられない。返事やあいづちは、「はい」「ええ」に改める。

粗雑な挨拶

× 先輩、オハ！ いつもアザース。

挨拶は社会人の言葉づかいの基本。「おはようございます」「ありがとうございます」と言うだけできちんとした人という印象に。

伸びる語尾

× やっぱり～そうなんですかぁ～？

クセになっているようなら、家族や友人との会話から直そうという意識を持つことが大事。

何でも「超」

× 超歩いて超大変で超疲れました。

「かなり」「とても」など強調を意味する言葉はいろいろある。語彙力を高めて表現が豊かになると、言葉にも知性がにじみ出るもの。

低俗な言葉

× それはちょっとイミフですね～。

「イミフ」がわからない人にはそれこそ「意味不明」。相手に正しく伝わらない若者言葉や俗語はビジネスの場には不適切。

1行話し方教室 同意、納得のあいづち「なるほど」は、「なるほど、そうですね」と

オフィスの「困った！」 人を不快にさせない“会話の技術”

次に紹介するのは、ビジネスで相手を説得する際に使われる話法です。実際の会話で期待通りの反応を得られるとは限りませんが、ふだんの付き合いから商談までさまざまな場面に応用できるので覚えておくとよいでしょう。

イエス バット話法 相手の反発をやわらげる

同意

反論

おっしゃる通りだと思います。
ただ私の考え方は少し違って……。

相手に同意してから反論する。自分の意見を「でも／しかし」といった否定的な言葉で始めてしまうと否定の印象が強くなるので注意を。

イエス アンド話法 相手が受け入れやすくなる

同意

提案

おっしゃる通りだと思います。
それと私が申し上げたように……。

まず相手に同意を示す。次に、自分の意見や考えを、相手の言ったことをより高める「提案」の形で切り出す。ただし相手と自分の意見がかけ離れている場合は、「提案」と受け取ってもらえない。

オープン クエスチョン 聞き役として会話を盛り上げる

敬語を使いこなすコツは何ですか？

答えが「はい」「いいえ」にはならない質問をすることで、話題を提供したり、膨らませたりして、会話を盛り上げていく話法。

クローズド クエスチョン 相手の答えが早く得られる

敬語を使いこなすコツはありますか？

答えが「はい」「いいえ」の二者択一で、相手に確認したい場合に有効。「明日までにお願いできますか？」と聞いて、「はい」と答える場合、相手の責任感が強まるという心理的効果も。ただし多用すると相手を責めている印象になる。

いう言い方にすると丁寧で、目上の人に対しても失礼にならない。

オフィスの「困った！」 注意・指摘の切り出し方

例 遅刻が多く、周囲の不評をかっている後輩に注意する

× 遅刻が多いけど、最近、
生活が乱れてるんじゃないの？
みんなが気にしてるよ。

○ 私が気にしすぎかもしれないけれど、
遅刻するのは体調が原因ではないかと
なんだか心配で……。

例 書類の清書中に気づいた先輩のミスを指摘する

× この部分、間違っていますよね？

○ この部分は、
○○と訂正すればよろしいですか？

例 取引先との商談中、上司が相手の名前を間違えた

× 失礼いたしました。
部長、こちらは山下ではなく山本様です。

○ 山本様は、どうお考えになりますか？
山本様のご意見はいつも的を射ているので
大変勉強になります。そうですよね、部長。

社外の人の前でミスを指摘されると、上司が恥をかくだけでなく相手も気まずくなるもの。それとなく伝えて察してくれない場合は、あとで上司と2人になった時に。

1行話し方教室 雑談の話題として「スポーツ」は要注意。とくに言い争いになりや

オフィスの「困った！」 間違いやすい敬語をチェック

× 社長はどこへ参られますか？

○ 社長はどちらへいらっしゃいますか？

「参る」は「行く」の謙譲語。尊敬語は「いらっしゃる」。

× 社長、みかんをいただかれますか？

○ 社長、みかんを召し上がりますか？

取引先の手土産のみかんを社長と一緒に食べる場合は「社長、みかんを一緒にいただいてよろしいですか？」になる。

× 社長がお越しになられました。

○ 社長がお越しになりました。

「お越しになられる」は二重敬語。「来る」の尊敬語は「お越しになる」「お見えになる」。

× 社長は写真を拝見なさいますか？

○ 社長は写真をご覧になりますか？

取引先が持ってきた写真を一緒に見る場合は「私も、一緒に拝見させてください」になる。

すい「野球」「サッカー」は初対面では避けたほうが無難。

雑談の「困った！」 質問とあいづちを効果的に

敬語や正しい言葉づかいの練習の格好の場となるのが雑談です。とくに初対面の相手との雑談は積極的に。相手のことをあまり知らないからこそ、親しい人と話す時に比べて言葉を慎重に選び、自然と言葉づかいが丁寧になるものです。また、商談の合間に軽い雑談を入れることで、緊張がほぐれて相手との距離が縮まり、本題の商談がよりスムーズに進むという効果も期待できます。

雑談の「困った！」 相手を引き込む雑談の法則

- あたり障りのない“前置き”で相手に雑談スタートのサインを送る
- 雑談はリラックスするための会話。話題はあくまで気楽に話せるものに
- 相手への質問から興味がありそうなことを引き出して話題にする
- 相手に気持ちよく話してもらうことは大事だが、聞き役だけに徹しない
- 緊張がほぐれたところで切り上げる

× 雑談で避けたい話題

宗教／政治・政党／学歴／収入／家庭問題／景気に関すること／双方のライバル企業に関すること／自慢話／人の陰口・噂話／病気・病状など。

× 相手が異性の場合、避けるべき話題

容姿／年齢／結婚／恋愛／出産／性的な話題／有名人のゴシップなど。

× 初対面やあまり親しくない相手の場合、避けたほうがいい話題

スポーツ、とくに特定の種目やチームに関する話題／出身地／仕事上の失敗談／芸能人、スポーツ選手などの否定的な話題／民族・文化など。

いずれにしても、会話中に相手が不快感を示した時は、内容にかかわらず話題を変えるようにする。

雑談では基本的にビジネスに関する話は避ける

雑談の話題は、「無難であるもの」「仕事とは関係がないもの」がポイントです。とくに不特定多数のいる場では、雑談として軽い内容でも仕事の話は厳禁。聞く人によっては企業の動向を探る重要な情報となって会社が大きな損害を被ることもあるので気をつけましょう。

1行話し方教室　敬語で話す際も「慣用句」や「ことわざ」は基本的にはそのまま使う。

雑談の「困った！」 雑談スタートの合図は“前置き”

× 午後からひと雨くるかな……。
嫌な空模様になってきましたね。

○ 午後からひと雨くるかな……。
ちょうどいいお湿りになりそうですね。

これから雑談を始める合図としては「嫌な空模様」よりも「いいお湿り」と前向きな表現が好ましい。実際にどんよりとした空模様であった場合は、ほかのことを“前置き”に。

気候／季節

もうそろそろ桜が咲く時期でしょうか。

ニュース／町の話題

○○駅前に高層ビルが建つらしいですね。

旅行／趣味

いい温泉をご存じでしたらお教えください。

自分の思い出話

このあたりは、
学生時代によく来たんですが、
ずいぶん変わっていて驚きました。

相手が初対面なら「天気」の話が無難。何を前置きにするにせよ、なるべく明るい、気持ちが和むようなことを。

たとえば「逃した魚は大きい」を「逃したお魚は大きい」とは言わない。

雑談の「困った！」 くだけた言葉は品よく“言い換え”

緊張がほぐれるとつい使ってしまいがちなくだけた言葉や、きつい印象の言葉は、品よくやわらかな表現の言葉に言い換えましょう。また、雑談では、ビジネスライクな堅い言葉を、やわらかい印象の言葉に言い換えると「本題」とのメリハリがついて、和やかな雰囲気を作り出せます。

避けたい言葉	言い換え例
無愛想	クール／寡黙な人
うるさい	にぎやか
偉そう	貫禄がある
おしゃべり	弁が立つ
おせっかい	世話好き
○○オタク	○○に詳しい人
落ち着きがない	元気がいい／活発
経験不足	新鮮な発想がある
ケチ	経済観念がある

避けたい言葉	言い換え例
仕事が遅い	仕事が丁寧
消極的	奥ゆかしい
すごい	見事／素晴らしい
性格がきつい	しっかりしている
たくましい	凛々しい／タフ
鈍感	おっとりしている
太っている	ふくよか
派手	華やか
やせている	きゃしゃ／スリム

雑談の「困った！」 会話は“質問”から広がる

○○さんは、**何か趣味をお持ちですか？**

相手：はい、子どもの頃から釣りが好きで今でもよく行きます。

そうですか。**いいご趣味ですね。**
私はやったことがないので、この機会に**いろいろ伺ってもよろしいですか？**

自分が知らないこと、興味を持てることを教えてもらうという気持ちで質問で返すと、お互いに気持ちよく話をすることができ、会話が広がっていく。

1行話し方教室 「目が高い」を目上の人に対しては「お目が高くていらっしゃる」と

雑談の「困った！」 後ろ向きな発言はやわらかく返す

“オウム返し”は、相手の発言を確認するように返して会話を続ける方法。相手の後ろ向きな発言は、やわらかな表現に言い換えて返すとよいでしょう。

相手：このところ、嫌なことばかり続いてうんざりしているんですよ。

何かよくないことでもありましたか？

相手：ここだけの話ですが、どうも上司とそりが合わなくて……。

考え方は人それぞれですから、意見が合わないこともありますよね。

相手：そうなんですよ。この間も、些細なことから口論になりました。

何でも言い合えるということは、〇〇さんは信頼されているんですね。そういえば、今のお話で思い出したのですが、私も学生時代に親友と……。

相手が、会社の内輪話を持ち出したら、やんわりとした表現で徐々に方向修正しながら「そういえば……」と話題を変える。

いうように、慣用句には敬語をつけてもよい場合がある。

岩下宣子の

心を伝える言葉のコラム

「お疲れさま」はお互いをねぎらう言葉

言葉もマナーも時代とともに少しずつ変わっていくことは承知していますが、「お疲れさま」の使い方に違和感を覚えてしまいます。私が会社勤めをしていた50年ほど前は、仕事が終わって帰る人が「お先に失礼します」と言った時、残っている人間が「お疲れさまでした」と返したものです。上司が外出先から戻ってきた時も「お帰りなさいませ、お疲れさまでした」は使っていましたが、それ以外は、使いませんでした。

今は朝の挨拶のあとは、午前中から廊下などで会うと「お疲れさまです」と言っています。会議などで初めの言葉にも「お疲れさまです。これから会議を始めます」です。ある会社の方から電話で「いつもお世話になっています。お疲れさまです」と言われたこともあります。お手洗いから出てきた時に「お疲れさまです」と声をかけられるのも何だか変な感じです。こういう時は、言葉を発しなくてもアイコンタクトと笑顔の会釈でよいのです。

「お疲れさま」は、お互いをねぎらう言葉です。テレビ局では一つの番組が終わった時に「お疲れさま」と言って、皆でねぎらったといわれています。「疲れる」はマイナスの言葉です。朝から使うのはいかがでしょうか。美容院やブティックでは「お疲れさま」をよく使うそうです。シャンプーをしたあと、試着をしたあとに「お疲れさまです」。本当は、シャンプーをしてくださって、試着をしてくださって「ありがとうございます」ではないかと思っています。今や「お疲れさま」は労をねぎらうというより、単なる挨拶言葉になっているのかしらと、感じることがあります。

言葉を出さなくてもよい挨拶があります。何か言わなくてはいけないという気持ちから、今のような「お疲れさま」の使い方が広まっていったようです。言葉には、魂があります。ならば「疲れる」という言葉より、お互いにもっと心が明るく元気になる言葉を使っていただきたいと切に願っています。

7章

クイズで育てる言葉力

敬語とは丁寧な言葉を使うこと。
人への思いやりを込めて、
やさしく、丁寧な話し方ができるように
“言葉力”を育てていきましょう。

問1 尊敬語と謙譲語の言い間違いを改める 解答P206

以下は、自社を訪ねたお客様を応接室へ案内する際の言い回しです。A～Dそれぞれの敬語の言い間違いを改めてください。

A 江戸川様でございますね。

B 山田部長はまもなくいらっしゃいます。

C すみませんが、
応接室でお待ちしてください。

D ご案内させていただきます。

問2 資料を配る時に添えるひと言は？ 解答P206

会議で資料を配る時に添える言葉として、正しいのは次のどれ？

A こちらが会議の資料になります。

B こちらが会議の資料となっております。

C こちらが会議の資料でございます。

D こちらが会議のご資料でございます。

問3 「見る」の謙譲語の正しい使い方は？ 解答P206

「見る」の謙譲語「拝見する」の正しい使い方はどちら？

A 御社のカタログを拝見いたしました。

B ゴッホの絵を拝見いたしました。

問4 丁寧な言葉で道順を説明する 解答P206

お客様に最寄り駅から自社までの道順を説明する場合、以下には不適切なところが何ヵ所あるでしょうか？

○○駅のA出口から右へまっすぐ行くと信号があります。
そちらを渡ってもらって、左へお曲がりになると、
10メートルくらい先に当社のビルが
お見えになると思います。
1階に受付があるので、そちらで伺ってください。
山田部長には、○○様が来るとお伝え申しておきます。

A 3ヵ所　B 5ヵ所　C 7ヵ所　D 10ヵ所

問5 クッション言葉を使って連絡先を聞く 解答P207

ハナコさんは、外出中の山田部長に代わってお客様に応対。部長の不在を知ると相手は「佐藤です」と名前だけ告げて立ち去ろうとしたので、連絡先を聞くことにしました。（　）内に入れるクッション言葉としてふさわしいものをA～Dから選んでください。

佐藤様、（　　　　　）、
ご連絡先を伺っても
よろしいでしょうか？

A お手数ですが
B 差し支えなければ
C お忙しいところ恐縮ですが
D よろしければ

問6 評価と同意を示すあいづち「なるほど」 解答P208

目上の人に対して失礼のない「あいづち」としてふさわしいのは、次のうちのどれでしょうか？

Ⓐ なるほど！

Ⓑ なるほど、ですね。

Ⓒ なるほど、そうですね。

Ⓓ なるほどで、ございますね。

問7 クッション言葉を使って読み方を聞く 解答P208

お客様から名刺をいただいたケイゴさんは、相手の名前の読み方を聞こうとしています。（　）内に入れる適切なクッション言葉を選んでください。

（　　　　　　）、
お名前は何とお読みすれば
よろしいでしょうか？

Ⓐ 申し訳ございませんが

Ⓑ あいにくですが

Ⓒ ご面倒をおかけいたしますが

Ⓓ 失礼ですが

問8 「持っていく」かどうかを聞く 解答P208

上司に、書類を持っていくかどうかを聞く際にふさわしいのはどちらでしょう？

Ⓐ 書類をお持ちになりますか？

Ⓑ 書類をお持ちしますか？

問9 「食べもの」の手土産を渡す時 解答P209

自分が担当している取引先を訪問した際、おいしいと評判のクッキーを手土産にしました。「部署の皆さんで食べてください」の丁寧な言い回しとしてふさわしいのはどれ？

A 皆様で召し上がってください。

B 皆様でお召し上がりになってくださいませ。

C 皆様でいただいてください。

D 皆様でご賞味ください。

問10 訃報の電話を受けた際の応対 解答P209

取引先の会長が亡くなり、先方の社員から連絡を受けました。この時の応対としてふさわしいのはどれ？

A
ご愁傷様でした。
わざわざありがとうございます。
上司に伝えさせていただきます。

B
大変お世話になっておりましたのに、
お悔やみ申し上げます。
ご丁寧にご連絡恐れ入ります。

C
ご苦労様です。
お力落としなされませんように、
皆様にお伝えください。

問11　乗り物の席次／目上の人に席をすすめる　解答P209

ケイゴさんは先輩とともに、部長が運転する車で、取引先の人を新工場へ案内することになりました。取引先の人に席をすすめる際に適切な言葉をA～Dから選んで（　）内に入れてください。

○○様、よろしければ（　　　　　　）

A 部長（運転席）の隣の席におかけください。

B 運転席の後ろの席はいかがでしょうか？

C 後ろの席の中央にお座りください。

D 後ろの席の左側はいかがでしょうか？

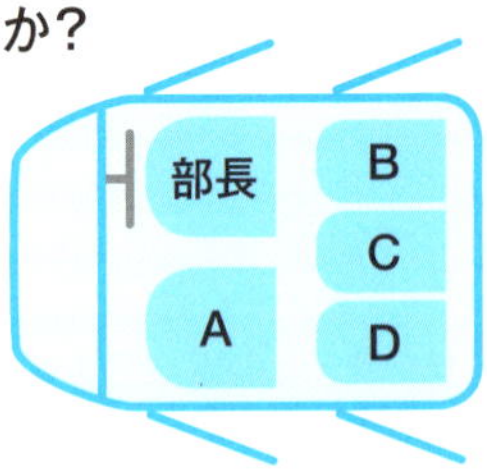

問12　よく使う言葉を尊敬語にする　解答P210

次のうち、尊敬語に言い換えたものとして間違っているのはどれ？
※複数選択可

A する → なさる／される

B 言う → おっしゃる／言われる

C 聞く → 伺う／拝聴する

D 待つ → お待ちになる／待たれる

E 知る → ご存じ／ご存じでいらっしゃる

F もらう → お受け取りになる／お納めになる

G 来る → お越しになる／参られる

H いる → いらっしゃる／おられる

問13 お客様とエレベーターに乗る時

解答P210

次のうち、お客様とエレベーターに乗る時の正しい応対はどれ？（複数選択可）

Ⓐ （外で扉を押さえながら）どうぞお先に。

Ⓑ （手のひらで中を指しながら）
では、参りましょう。

Ⓒ お先に失礼いたします。
（先に乗って開ボタンを押しながら）どうぞ。

Ⓓ （お客様の一歩後ろから）
どうぞ。3階まで参ります。

問14 相手の声が聞きづらい時の電話応対

解答P210

お客様からの電話で相手の声がよく聞こえず、「もう少し大きな声で話してください」とお願いする際、「申し訳ございません」というお詫びのあとに続ける言葉は？

Ⓐ 少々お電話が遠いようでございます。

Ⓑ 少々お声が遠くていらっしゃるようですが。

Ⓒ 少々お声を大きくしていただけますか？

Ⓓ 少々お声が拝聴しにくいのですが。

問15 「わかりました」の丁寧な言い方は？

解答P211

目上の人に「わかりました」と答える際にふさわしいのはどちら？

Ⓐ 了解いたしました。

Ⓑ かしこまりました。

問16 取引先の人に上司と先輩を引き合わせる 解答P211

ハナコさんは初めて自社を訪問したお客様に、上司と先輩を引き合わせることになりました。
ビジネスの場で好ましい紹介の順番はA～Dのどれ？

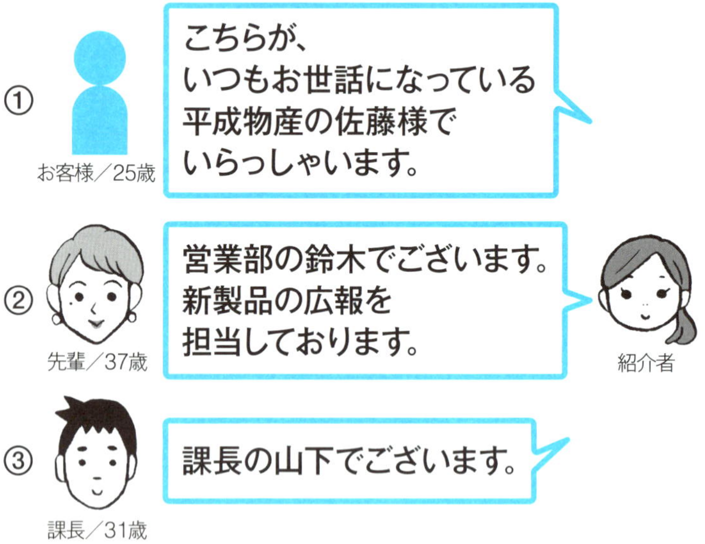
①
こちらが、
いつもお世話になっている
平成物産の佐藤様で
いらっしゃいます。
お客様／25歳
②
営業部の鈴木でございます。
新製品の広報を
担当しております。
先輩／37歳
紹介者
③
課長の山下でございます。
課長／31歳

A ②先輩　③課長　①お客様

B ③課長　②先輩　①お客様

C ①お客様　②先輩　③課長

D ①お客様　③課長　②先輩

問17 「もらう」の謙譲語「頂戴する」の使い方 解答P211

「もらう」の謙譲語「頂戴する」の正しい使い方はどちら？

A お時間を頂戴してよろしいでしょうか？

B お名前を頂戴してよろしいでしょうか？

問18 会議の進行役として挨拶をする

解答P212

取引先を交えた会議の進行役として、次のように挨拶をしました。丁寧で正しい言葉づかいにするために改めたほうがいいところは何ヵ所あるでしょうか？

本日は雨の中、わが社の会議にご来席を
頂戴いたしまして誠にありがとうございます。
本日の司会進行をやらさせていただきます、
○○部の△△と申します。
不慣れな事もたくさんあると思いますが、
皆様の本音をお聞かせいただきたく、
どうぞよろしくお願いいたします。

A 2ヵ所　B 4ヵ所　C 6ヵ所　D 8ヵ所

問19 敬語の言い間違いをしているのは？

解答P212

次のうち尊敬語と謙譲語の言い間違いをしているのはどれでしょうか？

A 佐藤様がお待ちしておられます。
B 私がお迎えに参ります。
C 佐藤様はいらっしゃいますか？
D お迎えにあがりました。

問20 美化語の使い方

解答P212

次のうち美化語にあたるのはどれでしょう？ ※複数選択可

A お手紙　E 御結婚
B ご挨拶　F 御祝儀
C ご勉強　G 御住所
D ご返事　H 御飯

問21 上司の家族からの電話を受けた時

解答P213

上司の家族から外出中の上司あてに電話を受けた際の応対で、「奥様からお電話があったと」に続ける、適切な言い回しはどれでしょうか？

「奥様からお電話があったと」

Ⓐ 部長に言っておきます。

Ⓑ ご主人様にお伝えします。

Ⓒ 部長にお伝えいたします。

Ⓓ 部長に申し伝えます。

問22 手伝ってくれた先輩への挨拶

解答P213

新製品発表会の準備を手伝ってくれた先輩への「帰り際の挨拶」として好ましくないものは？

Ⓐ 遅くまで、申し訳ございません。
ありがとうございました。

Ⓑ 遅くまで、ご苦労さまでした。
また明日もよろしくお願いいたします。

Ⓒ 遅くまで、ありがとうございました。
お疲れさまです。

Ⓓ 大変助かりました。ありがとうございます。
お疲れさまでした。

問23　パーティーで自社の社長を紹介する

解答P213

ケイゴさんは、取引先の企業を招待して開く創立記念パーティーの司会を任されました。「社長の挨拶」を紹介するスピーチとして、A～Dのどれを（　）内に入れるのがふさわしいでしょうか？

はじめに（　　　　　）

代表取締役社長
猫田イチロー

Ⓐ 弊社の猫田イチロー社長より、
ひと言ご挨拶をいただきます。

Ⓑ 音羽商事社長、猫田イチローより、
ひと言ご挨拶を賜ります。

Ⓒ 弊社、代表取締役社長、猫田イチローより、
ご挨拶を申し上げます。

Ⓓ 弊社、代表取締役社長、猫田が、
ひと言ご挨拶いたします。

問24　「ウチの会社」などを敬語にすると？

解答P214

ふだん使う言葉をビジネスの場にふさわしい言葉に言い換えます。次のA～Lに適切な言葉を入れて表を完成させてください。

わたし／ぼく	Ⓐ	あさって（明後日）	Ⓖ
ウチの会社	Ⓑ	いま	Ⓗ
そちらの会社	Ⓒ	あとで	Ⓘ
だれ（誰）	Ⓓ	もうすぐ	Ⓙ
きょう（今日）	Ⓔ	とても	Ⓚ
きのう（昨日）	Ⓕ	～ぐらい	Ⓛ

問25 目上の人に家族のことを話す時 解答P214

上司との会話A～Dのうち、言葉づかいが間違っているものを選んでください。
※複数選択可

A 先週から父が東京に参っております。

上司：そう。お父様はお変わりないですか？

B はい、お蔭さまで大変元気にしております。

上司：○○さんの父上は、私の親友の恩師でいらっしゃるとか。

C 父もそう言ってました。よかったら、
父にお目にかかってくださいますか？

上司：いいとも。私も以前からお会いしたいと思っていたからね。

D ありがとうございます。
父もきっと大喜びすると思います。

問26 「出席しますか？」の正しい尊敬表現は？ 解答P214

次のうち、「出席しますか？」の尊敬表現として正しくないものは？

A ご出席されますか？

B ご出席になりますか？

C 出席なさいますか？

問27 上司に仕事の報告を申し出る

解答P214

ハナコさんは、頼まれた仕事の進行具合を上司に伝えようとしています。A~Cのうち（　）内にふさわしいものを選んでください。

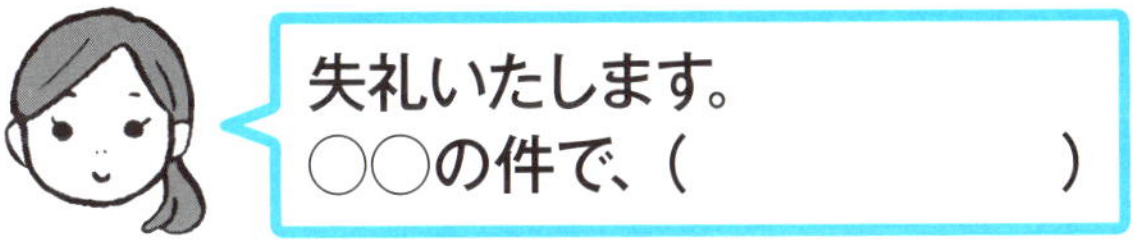

Ⓐ お話ししたいことがあるのですが、今いいですか？

Ⓑ ご報告があります。お時間いただけますか？

Ⓒ ご報告したいので、少々お時間をください。

問28 敬語を正しく使う

解答P215

次のうち、敬語の使い方が正しいものは？　※複数選択可

Ⓐ 山田部長が帰っていらっしゃいました。

Ⓑ よくかき混ぜて召し上がってください。

Ⓒ ケーキをお召し上がりになられますか？

Ⓓ 私もご一緒に行かさせていただきます。

問29 ビジネスでよく使う「～させていただく」

解答P215

ビジネスではよく使われる「～させていただく」という言い回しの不適切な例を次の中から選んでください。※複数選択可

Ⓐ のちほどご説明させていただきます。

Ⓑ 本日、お休みさせていただいております。

Ⓒ 4月末付で退職させていただきました。

Ⓓ 今月中に納入させていただきます。

解答：問1　下線部のように改める

A 江戸川様でいらっしゃいますね。
（謙譲語「ございます」→「いる」の尊敬語）

B 部長の山田はまもなく参ります。
山田部長 → 敬称をはずす。尊敬語「いらっしゃいます」→ 謙譲語

C 申し訳ございませんが、
丁寧さに欠け、複数の解釈ができる「すみません」は使わない。

応接室でお待ちいただけますでしょうか？
誤用「お待ちしてください」→ 尊敬語

D ご案内いたします。
「させていただく」は二重敬語 →「する」の謙譲語

解答：問2　C こちらが会議の資料でございます。

× A こちらが会議の資料になります。
「何かを作るための資料」という解釈もできて紛らわしい。

× B こちらが会議の資料となっております。
まわりくどく、Aと同様に紛らわしい。

× D こちらが会議のご資料でございます。
この場合、「資料」に美化語は不要。

解答：問3　A 御社のカタログを拝見いたしました。

× B ゴッホの絵を拝見いたしました。
話す相手の作品ではない場合、謙譲語は使わなくてよい。

解答：問4　D 10ヵ所　下線部のように改める

○○駅のA出口から右へまっすぐ（1）行かれると信号があります。
そちらを（2）渡っていただいて、（3）左手へお進みください。
10メートル（4）ほど先に当社のビルが（5）ございます。
1階に受付（6）がありますので、そちらで（7）お尋ねください。
（8）山田には、○○様が（9）お見えになると（10）申し伝えておきます。

(1) 行く → 尊敬語「行かれる／いらっしゃる」
(2) 渡ってもらって → 尊敬語「渡っていただいて」
(3) 左へお曲がりになると → わかりやすく、丁寧な表現に。
(4) くらい → 丁寧な表現「ほど」
(5) お見えになる →「お見えになる」は「来る」の尊敬語。この場合は「見える」より「ある」の丁寧語「ございます」がふさわしい。
(6) があるので → 丁寧な表現「ありますので」に。
(7) 伺ってください →「伺う」は「聞く」の謙譲語。相手に聞いてもらいたい場合は尊敬語「お尋ねください／お聞きください」を使う。
(8) 山田部長 → 敬称を付けない。
(9) 来る →「来る」の尊敬語「お見えになる／お越しになる」を使う。
(10) お伝え申しておきます → 上司に伝えるのは自分なので、謙譲表現「申し伝える」が正しい。

解答：問5 B 差し支えなければ

佐藤様、差し支えなければ、
ご連絡先を伺っても
よろしいでしょうか？

× A お手数ですが
名前を記入してもらうなど相手に何か手間をかけさせる時に使う。

○ B 差し支えなければ
「支障がなければ」の意。この場合、名前だけ告げて立ち去ろうとした佐藤氏への気づかいとしてもっともふさわしい。

× C お忙しいところ恐縮ですが
作業中の相手に話しかける時などに使う。

× D よろしければ
「差し支えなければ」と意味は同じ。この場合は「ご連絡先を伺ってもよろしいでしょうか？」と「よろしい」が続いてしまうので使わないほうがよい。

解答：問6 Ⓒ なるほど、そうですね。

「なるほど」は、本来は上の立場の人が、下の者の言ったことに“感心した”という意味で使う言葉。相手の意見を評価したうえで同意するというニュアンスがあるので、相手が対等の立場でも多用すると嫌味に受け取られることも。
上司や目上の人との会話では避けるのが好ましいが、もし使うなら言い切りではなく「そうですか」「さようですか」とつなげて、丁寧な言い回しにするとよい。ただし「ですね」は軽すぎ、「でございますね」は丁寧すぎて、どちらも茶化している印象になるので注意を。

解答：問7 Ⓓ 失礼ですが

失礼ですが、お名前は何とお読みすればよろしいでしょうか？

この場合は、相手の名前を読めないことが“失礼にあたる”という意味で、「失礼ですが」と話しかける。

✕ Ⓐ 申し訳ございませんが → 相手に迷惑をかける時などに使う。

✕ Ⓑ あいにくですが → 相手の意に添えない時などに使う。

✕ Ⓒ ご面倒をおかけいたしますが → 相手に手間をかける時などに使う。

解答：問8 Ⓐ 書類をお持ちになりますか？

「持つ」の敬語変換は付け足し型。尊敬語は「お～になる」。

✕ Ⓑ 書類をお持ちしますか？
「お～する」は謙譲語。
書類を持っていくのは上司自身なので尊敬語を使う。相手の書類を「自分が持っていく」場合は謙譲語。

解答：問9 Ⓐ 皆様で召し上がってください。

手土産は、取引先の人たちが「食べる」ので、尊敬語「召し上がる」を使う。

✕ Ⓑ 皆様でお召し上がりになってくださいませ。

「お召し上がりになる」は二重敬語。使ってもよい「誤用」とされるが、「くださいませ」と結ぶとくどい印象になる。

✕ Ⓒ 皆様でいただいてください。

「いただく」は謙譲語。

✕ Ⓓ 皆様でご賞味ください。

「賞味」の意味をそのままあてはめると「手土産をほめながら食べてください」という意味になり、押し付けがましい印象になる。誤用ではないにしても、この場合に使うのは不適切。

解答：問10 Ⓑ ～お悔やみ申し上げます。～

✕ Ⓐ「ご愁傷様でした」は通夜・葬儀の場で使うお悔やみの言葉。「わざわざ」は「重ね言葉」。

○ Ⓑ この場合必要なことは「会長が亡くなったことへのお悔やみ」と、「連絡に対するお礼」。

✕ Ⓒ「ご苦労様です」は、電話をくれた取引先の人に対しては不適切。「お力落とし～」は、遺族へのお悔やみの言葉。

解答：問11 Ⓐ 部長（運転席）の隣の席におかけください。

同行する人が運転する車に4～5名で乗車する場合、助手席が上座になる。後部座席に3名で座る場合は、中央が下座。

タクシーやハイヤーの場合、運転席の後ろを上座とするのが一般的。ただし、後部座席に3名で座る際は上座が乗り降りしにくくなるので、お客様がいる場合は、乗車前に本人の意向を確認しておくと、より丁寧な印象になる。

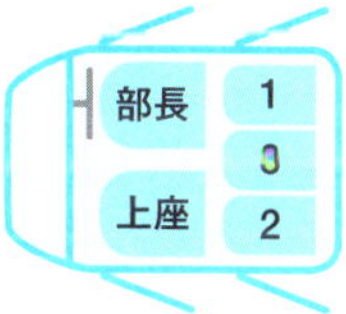

タクシーの場合

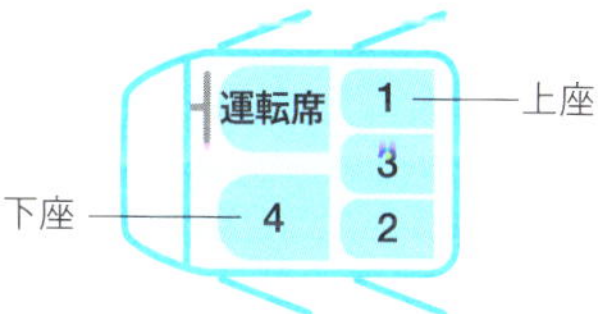

解答：問12　Ⓒ Ⓖ Ⓗ

Ⓒ 聞く→伺う／拝聴する　「伺う」「拝聴する」は謙譲語。

尊敬語は「お尋ねになる／お聞きになる」

Ⓖ 来る→お越しになる／参られる　「参られる」は二重敬語。

「お越しになる」は尊敬語だが、「参られる」は謙譲語Ⅱ「参る」＋尊敬の助動詞「れる」の二重敬語。「参られる」は、主語を敬ったり、へりくだったりするわけでなく、相手に対して丁重に述べる「丁重語」の働きをする。

Ⓗ いる→いらっしゃる／おられる　「おられる」は誤用。

「いらっしゃる」は「いる」の尊敬語。「おられる」は尊敬表現にはならない。

解答：問13　Ⓐ どうぞお先に。　Ⓒ お先に失礼いたします。

お客様を案内する際、エレベーターは「お客様が先」が基本（Ⓐ）。ただし、お客様が大勢で途中でドアが閉まるような場合は、「お先に失礼します」と言って先に乗る（Ⓒ）。大切なのは、状況によってお客様を優先することを第一に、丁寧な応対を心がけ、適宜声をかけてお客様を誘導すること。

解答：問14　Ⓐ 少々お電話が遠いようでございます。

「お電話が遠い」は、「声が小さい」の婉曲表現として慣用句のように使われる。

×Ⓑ 少々お声が遠くていらっしゃるようですが。

「お電話が遠い」で一つの言葉。また、「いらっしゃる」と丁寧な言葉を使うことで、相手を皮肉るようなニュアンスを感じさせてしまう。

×Ⓒ 少々お声を大きくしていただけますか？

相手の置かれている環境、年齢や身体などの状況を把握しにくい電話での、「声を大きくしてほしい」というストレートな表現は、相手に対する気づかいに欠ける。

×Ⓓ 少々お声が拝聴しにくいのですが。

この場合「拝聴する」とへりくだる必要はなく、ふざけているか、皮肉と受け取られてしまうことがある。

解答：問15　Ⓑ かしこまりました。

×Ⓐ 了解いたしました。

「了解」は、「相手の考えや事情を分かったうえで認める」という意味のある言葉。上司が部下の報告を受け、それを理解し、許可する時の「了解」が本来の使い方。上司に対して「わかりました」は丁寧さに欠けるので「かしこまりました」「承知しました」が適切。

解答：問16　Ⓑ ③課長 ②先輩 ①お客様

お客様に先に自分たちの身分を知らせて安心してもらうという意味で、身内や自社の人を、先に紹介するのが礼儀。

地位の高い順に自社側の人を先に紹介して、次にお客様を自社の人に紹介する。

個人的な付き合いでは、年配者、女性を優先するが、この場合のようにビジネスの場では、地位を優先し、課長、社員の順番になる。

解答：問17　Ⓐ お時間を頂戴してよろしいでしょうか？

×Ⓑ お名前を頂戴してよろしいでしょうか？

「お名前を頂戴する」は、尊敬する人や縁のある人の名前、またはその一部をいただいて自分の子どもに命名すること。「名前を聞いておきたい」を丁寧に言う場合は、「お名前をお聞かせいただけますか？」「お名前を伺ってよろしいですか？」。

これもNG！ 間違い敬語・失礼敬語

×	○
ご利用してください。	ご利用ください。
大変参考になりました。	大変勉強になりました。
～でよろしかったでしょうか？	～でよろしいですか？
どうかいたしましたか？	いかがなさいましたか？
どちらにいたしますか？	どちらになさいますか？
ご注意してください。	ご注意ください。
おわかりいただけたでしょうか？	ご理解いただけたでしょうか？

解答：問18 Ⓒ 6ヵ所　下線部のように改める。

本日は（1）あいにくの天候にもかかわらず、（2）弊社の会議に（3）ご参加を賜り誠にありがとうございます。本日の司会進行を（4）務める、○○部の△△と申します。不慣れな事も（5）多々あると存じますが、皆様の（6）忌憚のないご意見をお聞かせいただきたく、どうぞよろしくお願いいたします。

（1）雨の中 → 改まった表現「あいにくの天候にもかかわらず」
（2）わが社 → へりくだった表現に。「弊社／小社／私ども」
（3）ご来席を頂戴いたしまして →「参加」、「賜る」が適切。
（4）やらさせていただきます →「務める」と改まった表現を使う。
（5）たくさんあると思いますが →「多々」、謙譲語「存じる」に。
（6）本音 →「忌憚のない」は率直、本音などの改まった表現。

解答：問19 Ⓐ 佐藤様がお待ちしておられます。

「お待ちする」「おる」はともに謙譲語。正しくは「待っている」の尊敬表現「お待ちになっていらっしゃいます」「お待ちでいらっしゃいます」。

解答：問20 Ⓑ Ⓔ Ⓕ Ⓗ

Ⓐ お手紙 → 自分が出す場合は謙譲語Ⅰ、相手からは尊敬語。

Ⓒ ご勉強 Ⓓ ご返事 → ともに尊敬語。「お勉強」「お返事」は美化語。

Ⓖ 御住所 → 尊敬語。

尊敬語になる「お／ご」の使い方

相手の身体 → お体、お手、ご健康など。
相手の身にまとうもの → お洋服、お帽子、お靴など。
相手の所有物 → お宅、ご本、お車、お荷物など。
相手の家族 → お父様、お子様など。
相手の動作 → お急ぎ、ご在宅、ご不在、ご出席など。

解答：問21　C　部長にお伝えいたします。

上司や同僚の家族に対しては、本人と同じように尊敬語を使い、「伝える」など自分がすることは「謙譲語」を使う。

「奥様からお電話があったと」

× A 部長に言っておきます。 → 丁寧さに欠ける。

× B ご主人様にお伝えします。
→ 役職名や「○○さん」と敬称を付ける。

× D 部長に申し伝えます。
→ 伝言先の人も自分と同等に扱う表現。

解答：問22　B　遅くまで、ご苦労さまでした。また明日も～

B 遅くまで、ご苦労さまでした。（①）また明日もよろしくお願いいたします。（②）

①上の人から目下にかけるねぎらいの言葉で、先輩に対して使うのは不適切。
②「ありがとうございました」などお礼の言葉がないため、上からのもの言いという印象が避けられない。

解答：問23　C　弊社、代表取締役～ご挨拶を申し上げます。

はじめに弊社、代表取締役社長、
猫田イチローより、ご挨拶を申し上げます。

× A 弊社の猫田イチロー社長より、（①）ひと言（②）ご挨拶をいただきます。（③）

× B 音羽商事社長、猫田イチローより、（①）ひと言（②）ご挨拶を賜ります。（④）

× D 弊社、代表取締役社長、猫田が、（①）ひと言（②）ご挨拶いたします。

①招待客に向けて役職と名前は省略せずに紹介する。
②紹介者としては不適切、挨拶をする本人が言うのであればかまわない。
③いただきます → 「もらう」の謙譲語。社内の人だけのイベントで使う。この場合は、社外の招待客もいるので不適切。
④賜ります → 「与える」の尊敬語。「社長の挨拶を来客に与える」という上からのもの言いになる。

解答：問24　話し言葉としては A ～ L が一般的

A わたくし
B へいしゃ（弊社）
C おんしゃ（御社）
D どなた
E ほんじつ（本日）
F さくじつ（昨日）
G みょうごにち
H ただいま（只今）
I のちほど（後程）
J まもなく
K たいへん（大変）
L ～ほど（程）

解答：問25　A C D　下線部が適切な表現

✕ A 先週から父が上京しております。

○ B はい、お蔭さまで大変元気にしております。

✕ C 父もそう申しておりました。よろしければ、父に会っていただけますか？

✕ D ありがとうございます。父も大変喜ぶと思います。

解答：問26　A　ご出席されますか？

サ変動詞の謙譲語「ご○○する」＋尊敬の助動詞「れる」は、尊敬表現として不適切。「出席されますか？」であれば尊敬表現になる。

解答：問27　B

失礼いたします。○○の件で、ご報告があります。お時間いただけますか？

上司や忙しそうな人に話しかける際のポイントは、「報告したい」「お伝え（連絡）したい」「相談がある」と、初めに目的をはっきりと述べること。

✕ A お話ししたいことがあるのですが、今いいですか？

言い回し全体が丁寧さに欠ける。「お話ししたい～」は、個人的な「相談」と誤解されやすい言い方。上司に話しかける時は「報告したい」「お伝え（連絡）したい」などと、初めに目的をはっきりと述べる。

✕ Ⓒ ご報告したいので、少々お時間をください。

全体的にやや丁寧さに欠ける印象。相手の都合を聞くつもりでも「～ください」という指示形では、その気づかいが伝わりにくい。

解答：問28 Ⓐ Ⓑ

✕ Ⓒ ケーキをお召し上がりになられますか？

→召し上がりますか

「お召し上がりになられる」は二重敬語で誤用。「召し上がる」は「食べる」の置き換え型の尊敬語。「お～になる」の付け足し型「お食べになる」は使わない。

✕ Ⓓ 私もご一緒に行かさせていただきます。

→同行いたします／一緒に参ります／私もお供いたします

「ご一緒に」は、相手と同等の立場の場合に使う言葉。目上の人には「同行いたします」という言い方に。「行かさせていただきます」は誤用であり、「～させていただく」という言い方がまわりくどい。「行く」の謙譲語「参る」を使って「一緒に参ります」でよい。

解答：問29 Ⓒ 4月末付で退職させていただきました。

「～させていただく」を使う時の原則

- 相手の許可や承諾が必要なことを、自分側がする場合

  Ⓐ のちほどご説明させていただきます。

  →相手は「先に説明してほしい」など希望することができる。

- 自分側のすることが、相手に不利益になる場合

  Ⓑ 本日、お休みさせていただいております。

  →連絡が取れないことで相手に迷惑がかかる可能性がある。

- 相手の許可、承諾で自分側に利益がある場合

  Ⓓ 今月中に納入させていただきます。

✕ Ⓒ 4月末付で退職させていただきました。

上記のいずれにもあてはまらず、へりくだる必要もない。「4月末付で退職いたしました」と事実を伝えるだけでよい。

巻末 よく使う言葉　敬語一覧（あ～も）

基本	尊敬語（相手がする）
会う	お会いになる／お会いくださる
言う（話す）	おっしゃる／言われる／話される
行く	いらっしゃる／お越しになる
いる	いらっしゃる／おいでになる
送る	お送りになる
教える	お教えくださる／お教えになる
思う	お思いになる／思われる
帰る	お帰りになる
書く	お書きになる
借りる	お借りになる
考える	お考えになる／ご高察
聞く	お尋ねになる／お聞きになる／ご清聴
来る	お越しになる／お見えになる／いらっしゃる
断る	お断りになる
知る	ご存じ／ご存じでいらっしゃる
する	なさる／される
助ける	お力添え／ご援助／ご支援
尋ねる	お尋ねになる／お聞きになる
食べる	召し上がる
飲む	召し上がる／お飲みになる
見せる	お見せになる
見る	ご覧になる／ご覧くださる／見られる
もらう	お受け取りになる／お納めになる

謙譲語（自分がする）	丁寧語
お目にかかる／お会いする	会います
申す／申し上げる	言います
参る／伺う／あがる	行きます
おる	います
お送りする	送ります
お教えする	教えます
存じる	思います
失礼する／おいとまする	帰ります
お書きする	書きます
お借りする／拝借する	借ります
考える／拝察する	考えます
伺う／拝聴する／お聞きする	聞きます
参る／伺う	来ます
お断りする	断ります
存じる／存じ上げる	知ります
いたす	します
助けていただく	助けます
お伺いする／お尋ねする／お聞きする	尋ねます
いただく	食べます
いただく	飲みます
ご覧に入れる／お目にかける	見せます
拝見する／見せていただく	見ます
いただく／頂戴する	もらいます

巻末 よく使う言葉　敬語一覧（や〜わ）

基本	尊敬語（相手がする）
やる（与える）	おやりになる／くださる
利用する	ご利用になる
わかる	ご理解／ご承知／おわかりになる
忘れる	お忘れになる
渡す	お渡しになる

巻末 です／ます型丁寧語 → 丁寧な言い回し

会います	→	お目にかかります
あります	→	ございます
言います	→	申します
行きます	→	参ります／伺います／あがります
います	→	おります
思います	→	存じます
借ります	→	拝借します
聞きます	→	伺います／拝聴します／承ります
来ます	→	参ります
します	→	いたします
そうです	→	さようでございます
訪ねます	→	伺います／参ります／あがります
食べます	→	いただきます／頂戴いたします
見ます	→	拝見します
もらいます	→	いただきます／頂戴いたします
やります	→	差し上げます／進呈いたします

謙譲語（自分がする）	丁寧語
贈呈する／進呈する／差し上げる	やります／与えます
利用させていただく	利用します
かしこまる／承る／承知する	わかります
失念する	忘れます
お渡しする／お渡しいたします	渡します

巻末 ビジネス会話　基本

自分のこと	→	わたくし
自分の身内	→	父、母、妻、夫など
自分の会社	→	弊社／小社／わたくしども
上司　社内	→	○○部長など
〃　社外	→	○○／部長の○○など
同僚　社内	→	△△さん
〃　社外	→	△△／○○部（部署名）の△△など
今度	→	このたび
もうすぐ	→	まもなく
前に	→	以前
さっき	→	先ほど
あとで	→	のちほど
すぐ	→	ただ今／さっそくですが
今日	→	ほんじつ（本日）
昨日	→	さくじつ
明日	→	みょうにち

巻末 ビジネス敬語　基本

一般的な表現	→	丁寧な言い回し
ありがとう。	→	ありがとうございます。
ごめんなさい。	→	失礼いたしました。
すみません。	→	申し訳ございません。
わかりました。	→	承知いたしました。
了解しました。	→	かしこまりました。
どうしますか？	→	いかがいたしましょうか？（自分の行為）
そうです。	→	さようでございます。
いいですか？	→	よろしいですか？
できません。	→	いたしかねます。
やめてください。	→	ご遠慮願います。
どなたですか？	→	どちら様でしょうか？
知ってますか？	→	ご存じでしょうか？
知りません。	→	存じません。
わかりません。	→	わかりかねます。
わかりましたか？	→	おわかりいただけましたでしょうか？
おはよう。	→	おはようございます。
いつもどうも。	→	お世話になっております。
前に会いました。	→	以前お会いしました。
私は○○です。	→	私は○○と申します／でございます。
あとで行きます。	→	のちほどお伺いします。
ただいま。	→	ただ今戻りました。
今日は帰ります。	→	本日は失礼いたします。

巻末 ビジネス敬語　社内の敬語

一般的な表現 → 丁寧な言い回し
お客様が来ました。→ お客様がお見えになりました。
お客様を連れてきました。→ お客様をご案内して参りました。
応接室にお茶を出しますか？→ 応接室にお茶をお持ちいたしますか？
よかったら見てもらえますか？→ よろしければご覧いただけますか？
○○部長、社長が呼んでますよ。→ ○○部長、社長がお呼びでございます。
○○商事の△△さんから電話です。→ ○○商事の△△様からお電話です。
どこへ行くのですか？→ どちらへいらっしゃるのですか？
いつ頃戻ってきますか？→ お戻りは何時頃になりますでしょうか？
お客様がそう言ってました。→ お客様がそうおっしゃっていました。
私が前に言った通りです。→ 私が以前申し上げた通りでございます。
書類を見てもらえますか？→ 書類に目を通していただけますか？
確認してください。→ ご確認いただけますか？

巻末 ビジネス敬語　紹介・接客・電話応対

一般的な表現 → 丁寧な言い回し

そちら（相手）の会社 → 御社／貴社（文書）

○○社の△△さん → ○○社の△△様

相手の同行者 → お連れ様／お連れの方

いらっしゃい。→ いらっしゃいませ。

どうも。→ いつもお世話になっております。

さようなら。→ 失礼いたします。

他社の人に自社の人を紹介する

ウチの会社の○○部長です。→ 弊社の部長の○○でございます。

自社の人に他社の人を紹介する

○○社の△△さんです。→ ○○社の△△様でいらっしゃいます。

接客・電話応対

○○部長は今来ます。→ 部長の○○はただ今参ります。

今、席にいません。→ ただ今、席を外しております。

アポイントはありますか？ → お約束はいただいておりますでしょうか？

ちょっと待ってください。→ 少々お待ちいただけますでしょうか？

ここに座ってください。→ こちらにお掛けいただけますか？

一般的な表現	→ 丁寧な言い回し
もう一度来てください。	もう一度お越しいただけますか？
私が用件を聞きます。	私がご用件を承ります。
初めまして。	初めてお目にかかります。
もしもし（電話の第一声）	はい
こちらから電話（連絡）します。	こちらからお電話（ご連絡）差し上げます。
電話するように伝えます。	お電話差し上げるように申し伝えます。
電話の声が小さいです。	少々お電話が遠いようです。
今、電話を代わります。	ただ今、お取り次ぎ（おつなぎ）いたします。
くり返します。	復唱いたします。
ウチの会社までの道順を教えます。	弊社までの道順をご説明いたします。
この番号に連絡をください。	こちらの番号までご連絡いただけますか？
○○から電話があったと言っておいてください。	○○から電話があったとお伝えください。
伝言してもらえますか？	ご伝言をお願いできますでしょうか？
それでは。	それでは、失礼いたします。

岩下宣子（いわした・のりこ）
「現代礼法研究所」主宰。NPO法人マナー教育サポート協会相談役。1945年、東京都に生まれる。共立女子短期大学卒業。30歳からマナーの勉強を始め、全日本作法会の故内田宗輝氏、小笠原流の故小笠原清信氏のもとで学ぶ。1985年、現代礼法研究所を設立。マナーデザイナーとして、企業、学校、商工会議所、公共団体などでマナーの指導、研修、講演と執筆活動を行う。著書には『知っておきたいビジネスマナーの基本』（ナツメ社）、『ビジネスマナーまる覚えBOOK』（成美堂出版）、『好感度アップのためのマナーブック』（有楽出版社）、『図解　社会人の基本　マナー大全』（講談社）などがある。

カバーイラスト　吉田なおこ
本文イラスト　伊藤ハムスター
装丁　村沢尚美（NAOMI DESIGN AGENCY）
本文デザイン　片柳綾子、田畑知香、原 由香里（DNPメディア・アート）
編集協力　稲田智子

講談社の実用BOOK
図《ず》解《かい》 社《しゃ》会《かい》人《じん》の基《き》本《ほん》 敬《けい》語《ご》・話《はな》し方《かた》大《たい》全《ぜん》
2016年３月15日　第１刷発行
2025年７月　4日　第18刷発行

著者　岩《いわ》下《した》宣《のり》子《こ》

KODANSHA

発行者　篠木和久
発行所　株式会社 講談社
東京都文京区音羽２-12-21　〒112-8001
電話　編集 03-5395-3560
販売 03-5395-5817
業務 03-5395-3615

印刷所　株式会社DNP出版プロダクツ
製本所　株式会社国宝社

定価はカバーに表示してあります。ISBN978-4-06-299846-8